国家出版基金项目
NATIONAL PUBLICATION FOUNDATION

《三联经典文库》

第二辑

2012 年国家出版基金项目

三联经典文库

139

对反民主的抗争

韬奋 著

生活·讀書·新知 三联书店

图书在版编目(CIP)数据

对反民主的抗争 / 韬奋著. -- 北京：生活·读书·新知三联书店, 2014.1
（三联经典文库第二辑）
ISBN 978-7-108-04589-8

Ⅰ. ①对… Ⅱ. ①韬… Ⅲ. ①政论－中国－民国 Ⅳ. ①D693.092

中国版本图书馆CIP数据核字(2013)第152241号

139 对反民主的抗争

责任编辑　樊燕华
封扉设计　蔡立国
责任印制　郝德华
出版发行　生活·讀書·新知 三联书店
（北京市东城区美术馆东街22号）
邮　　编　100010
经　　销　新华书店
印　　刷　北京鹏润伟业印刷有限公司
版　　次　2014年1月北京第1版　2014年1月北京第1次印刷
开　　本　787毫米×1092毫米 1/32　印张 8.625
字　　数　120千字
定　　价　32.00元

《三联经典文库》出版缘起

适逢生活·读书·新知三联书店八十华诞，为弘扬传统，接续文脉，回报读者，服务社会，我们决定策划出版《三联经典文库》。

1932年7月，生活书店在上海创办，此后，读书出版社和新知书店相继成立。本文库第一辑、第二辑所选图书，来自于这三家出版单位及其分支机构，以及1948年生活·读书·新知三联书店成立后的出版物，始于1932年，截至1951年，两辑各一百种。此为第二辑，涉及政治、经济、社会、军事、思想文化诸领域，涵盖专著、文集、散文、小说、诗歌、传记、报道等体裁，既有直面现实、追求真理、讴歌真善美、抨击假恶丑的原创作品，又有引介世界各国先进文化、传播新知、开启民智的迻译之作，真实记录了那一代知识分子的思考与探索、理想与愿景和对中华民族文化传承与创新所做出的努力与贡献。

本文库所辑入各书，多为名家名作，在版本方面，以初版一印本或经著译编者审定、修订、增订过的版本为首选，因此本文库又具有较为珍贵的版本价值和收藏价值。

本文库还将编选续辑，使之成为恢弘文化工程。诚挚希望读者给予批评和指正，帮助我们完善编选工作，再现三联经典作品之风采。殊为遗憾的是，由于年代久远，一些原著译编者及其后人未能取得联系并奉付稿酬，诚盼版权所有者与我们联系。祈愿三联前辈所创造的精神财富能薪火相传，为中华文化的伟大复兴增光添彩。

《三联经典文库》编辑委员会

2013 年 8 月

凡　例

一、本文库为重排本，由繁体字竖排版改为简体字横排版。

一、以忠实于原作、整旧如旧为编辑原则，对当时使用的专有名词、外文译名，以及民国时期的语言和特色予以保留。

一、原书注释如旧，编者所出的注释，均以“编者注”标明，以示与原书注释的区别。

一、对原书残缺或字迹漫漶之处，以□示代。

一、对繁简文本转换时的“如右”、“见左”一类，对应改为“如上（前）”、“见下（后）”。

一、对原书中各种错讹脱衍之处，直接订正，不再以其他符号标示。

一、对数字、标点符号的用法，在不损害原文语义的情况下，做必要的规范。

一、本文库各书均前插原书书影、原书版权页和文库版“本书出版说明”。

一、本书出版说明的撰写，以客观中立为原则，扼要介绍本书的内容、版本流转、著译编者的情况。

本书出版说明

1941 年“皖南事变”后，韬奋先生在中共安排下辗转至香港，初为刚刚创刊的《华商报》撰写连载文章《抗日以来》，复又在重刊后的《大众生活》担任主编，并执笔该刊社论，本书多篇文章中曾提到的“本报”、“本刊”，或为《大众生活》。1941 年底香港沦陷后，韬奋先生离港至东江游记区。本书收录文章即写于作者旅港时期的 1941 年 6 月至同年年末。

本书由二十七篇文章构成，以探讨民主政治为重点，间或论述当时国际反法西斯战争及国内抗战局势，以及中美和中苏关系。

在多篇关于民主政治的文章中，作者强调了抗战时期在中国实施民主政治的重要性，指出抗战建国与实施民主政治并非对立冲突，相反，只有建立广泛参与的民主政治，才能凝聚共识，取得抗战胜利。在这一观点的基础上，作者对民主政治的具体运作也专门撰文加以论述，比如民意机关的设置，代表的产生，言论自由的保障等等，同时对当时反民主者的论调予以批驳。

本书首版于 1946 年 7 月，1947 年 1 月再版。全书十万字，此次出版，即 1947 年 1 月版为底本。

韬奋（1895-1944），原名邹恩润，乳名荫书，曾用名李晋卿。江西余江人。生于福建长乐。十六岁入南阳公学小学部，念洋公学大学工科二年级后，考入上海圣约翰大学文科三年级，主攻西洋文学，辅修教育。1921 年毕业，获文学学士学位。曾任上海厚生纱布交易所英文秘书。自 1926 年至 1944 年期间，主编《生活》周刊，创办生活书店、《大众生活》周刊、《全民抗战》（由《全面抗战》三日刊与《全民》月刊合并而得名），曾两度被迫流亡海外，“七君子”之一。1944 年病逝于上海。根据其遗嘱的请求，同年 9 月中共中央在唁电中追认其为中国共产党党员。著作结集为《韬奋文集》。

生活 · 读书 · 新知三联书店

2013 年 8 月

韬奋出版社 1947 年 1 月版书影

對反民主的抗爭

每冊實價國幣　圓

著者　韜奮

出版者　韜奮出版社
上海重慶南路六號

總經售　生活書店
重慶・星加坡

中華民國三十五年七月初版
中華民國三十六年一月再版

(T12) S. 2001—4000

原书版权页

目次

插图目次

韬奋先生摄于重庆（一九四一年）

美国政治顾问与中国政治

一　拉第摩尔的生平与主张

最近蒋委员长接受美国罗斯福总统的推荐，委任拉第摩尔（Owen Lattimore）为政治顾问，引起了国内外的特殊的注意。要研究这位美国政治顾问对于中国政治可能发生甚么影响，首先要略述他的生平与主张。

拉第摩尔现年四十一岁，美国哈佛大学毕业，他的父亲曾在中国南洋及北洋二大学担任教授，在中国致力教育近二十年，所以他在童年时代即在中国达十二年之久。自一九二一年到一九二六年间，他曾在上海北平天津等处参加新闻界工作，随后曾在中国边境满蒙新疆等处作广泛的游历，将视察所得，写作文章发表。他在一九一九至一九三七年的大部分时间仍留在中国。因此他能说非常流利的中国国语。他最近对人说，他这次来华，不像出国，只像回乡。他又曾为太平洋关系学会做了许多时候的研究和写作工作，现任美国约翰·霍布金大学教授及《太平洋问题》杂志主笔。他常有关于远东及中国问题的文章发表于美国各杂志，如*Amerasia*及*Foreign Affairs*等等，被视为远东及太平洋问题专家。他被任为蒋委员长的政治顾问，将于本月八日单身自美乘“飞剪”号经港赴渝，他的夫人及一个十岁的孩子仍留在美国也尔愓摩尔。

拉第摩尔被称为“对于中国人民有充分的知识，同时对于中国抗战有深切的同情”。依他最近发表的对于中国抗战及中国政治的主张，我们认为他对于中国确有正确的认识，对于中国抗战确有深切的同情。

我在这里特别要指出三点：第一点是他重视中国于国共二党以外的广大中间层的广大力量。他说对中国有一个最重要的认识，就是有千百万的中国人，并不是任何政党的党员，他们只是被“民族独立”和“民主共和国”的要求所团结拢来的。任何政党要在形式上统治人民是无济于事的，必须取得大多数人民的信任，这种信任的取得，不能由于威力强迫的服从，而且能“取得同意”，这个事实保证了中国必须采取民主之路。因此民主政治在中国的重要性，成为拉第摩尔的第二点主张。他最近对美国记者谈话，也提到“中国是为着独立的民主而奋斗”。这和上面说的可以互相参证，就是他认为最大多数的中国人只是被“民族独立”和“民主共和国”的要求团结拢来的。第三点是他特别重视中国的民族统一战线。他认为今日中国如果造成内战，那是日本和德国所渴求的。他认为只有真诚拥护中国的民族统一战线，才能达到打倒日本，争取中国的民族独立。他认为友邦的援助，无论来自苏联或来自其他民主国，都须注重中国的民族统一战线，才能收到良好效果。

上述的意见，都可在拉第摩尔在今年四月出版的 *Foreign Affairs* 中 *Stalemate in China* 一文里可以看到。重视广大中间层的广大力量，广大中间层的信任之取得，必须由于事实上的表现能得人心，而不能由于威力强迫的服从。重视民主政治在中国的重要性，重视中国民族统一战线，认为破坏中国的民族统一战线是与日德有利，真诚拥护中国民族统一战线，是中国打倒日本及争取民族独立的基本条件。关于这三点的看法，我们和拉第摩尔具有同感。

这至少是到现在为止，我们在拉第摩尔公开的言论中所能看到的他对于中国政治及抗战的态度。他做了政治顾问之后，有没有什么其他变化，我们在今日当然还无从知道。

二　美国的用意

据电讯所传，华盛顿政界对于拉第摩尔被任为蒋委员长的政治顾问，甚为重视，因为这是由于罗斯福总统的推荐，而且是蒋委员长第一次接见美国元首的推荐而委任的政治顾问。美国舆论界也郑重指出，这个委任表示美国对于中国抗战有着深切的关怀。

美国对于这件事的用意，大概不外二点：第一点是对于中国的内部情形可有一人经常加以注意，使美国得到更详确的材料，使美国对于中国可以得到更清楚的了解。第二点是对于中国政治的改善，可有一人经常有所贡献，由此可以加强中国抗战的力量，使美国在特别注意大西洋的时期，太平洋方面有着一个相当坚强的安定力量，可以相当减少它的东顾之虑。这二种任务，本来美国的驻华大使也未尝不可略尽责任，但是正式的外交官，究竟有其限度，不如一个半外交式的政治顾问比较便利得多。美国《华盛顿邮报》指出拉第摩尔是最适宜的人选，不但因为他熟悉中国情形，而且能说一口流利的中国话，可以直接和蒋委员长谈话，不像其他顾问需要翻译。这诚然也增加了这位政治顾问的便利之又一点。

但是尤其值得我们注意的是美国在我国抗战四年，正踏上更艰苦奋斗的阶段，由美国总统郑重推荐了一位政治顾问到中国来。（这个地方的“政治”二字，值得特别加重。）美国不久以前派了特使寇里来，后来不但又派了经济专家福克斯来，最近又派了技术专家来协助中国整顿滇缅路，又派了飞机师及运输飞机到中国来。除了这些以外，还嫌不够，还要注意政治方面，郑重推荐一位政治顾问到中国来。据说“观察者皆信此为中美间不久即将实行若干进一步合作的重要计划表示”。此语果确，在“即将实行若干更进一步合作的重要计划”以前，援助中国抗战的友邦也很亲切地想到中国的政治问题。有些人认为中国今日的抗战，只须有飞机大炮就行，什么都不必谈，什么都等到抗战胜利以后再说。外国的学者和政治家似乎和我国的这些人有着很不同的意见。英国的拉斯基教授对于正在激烈抗战中的英国大呼“举行政治上大改革”，大呼“加深并扩大民主的政治的领域”（见拉斯基在 *New York Times*，Oct.20，1940 所发表的《英国政治改革与胜利的联系》一文），现在美国为着要加强我国在远东拖住日本的泥腿，也想到了我们的政治，这不是很可深思的吗？依上述某些人的意见，这位美国政治顾问，大可在中国抗战胜利以后来！

三　实际的影响如何

根据拉第摩尔已往所表示的态度，根据美国现在还需要支持中国的抗战，我们当然希望这位政治顾问对于中国能发生良好的影响，但是主观的希望是一件事，客观的实际发展是另一件事。我国的何部长曾对美国广播，说中国是一个“民主国家”，这在我们每一个中国人，当然感到不胜荣幸之至（！），但是同时我们却也要想到挂的是“民国”的招牌，在政治上的实际做法怎样，倒也值得我们的慎重的考虑，不要使这位政治顾问在相反方面，“得到更清楚的了解”。

在另一方面，这位政治顾问虽怀着“满腹经纶”，不远万里而来，究竟对中国政治能够发生怎样的影响，最大部分还是在中国自己方面，如在中国自己方面仍是“讳疾忌医”，“故步自封”，那不要说一个拉第摩尔无可奈何，就是有着十个一百个拉第摩尔有何用处？最显著而又最新鲜的例子是最近来到中国的中美平准基金委员会美籍委员福克斯，在全国财政会议公开发表演说，认为经济问题的解决不仅限于经济的范围，同时要连带牵连许多问题，如“通货膨胀，物价高涨，纸币增发，粮食缺乏，军用品和人民用品增加生产的需要，运输的困难及征税计划，政府度支等等问题”。他更婉转而却严正地指出：“至于人员的登庸必须以才能为唯一的根据，而不能根据其人的政治关系或社会地位”，“关于预算的管理必须有一组织完善和统一制度。政府财政的完全公开，乃民主改良的必要特点。”在福克斯到中国未久，也可谓知无不言，言无不尽了，但是他这些话实际的影响怎样，实在令人难于判断。

拉第摩尔的光临，至多也只能做到知无不言，言无不尽罢，但是中国政治到了目前的情况，政治机构和人选非有基本的改革，政治作风乃至政策非有基本的改革，要由于一个客卿的几句话，希望收到怎样大的效力，那是不易想象的奇迹！我们在主观上固然存着殷切的希望，但在客观上也必须面对事实，如果徒作幻想而不面对事实，不免发生更大的失望。

当前的主要任务

“七七”四周年纪念的光临，给与全国爱国同胞以莫大的欢忭和兴奋。回忆四年前的今日，日本帝国主义者倡言只须三个月就可以亡整个的中国，国内的失败主义者及妥协主降的分子也附和着他们的高见，认为中国和日本打，无异以卵击石，非亡不可；即国内的有些动机并不算坏的所谓军事家，至多的估计，也只认为中国对日的抗战可以支持六个月至一年。但是现在如何？中国整整的打了四年的仗，仍在继续坚持着抗战，不但粉碎了我们民族敌人和民族败类的幻想，而且也惊醒了有些军事家，使他们对于中国的潜在的伟大力量有了正确的认识。

中国在已往四年中的光荣的抗战之所以得以继续支持，是靠着这潜在的伟大力量得到若干程度的发挥，虽则还只是局部的发挥。如果把中国的潜在的伟大力量视为中国的无限的宝藏，这宝藏在实际上还只是被发掘了一小部分，而且是在一部分当权者很不愿意，甚至多方阻挠的情况下被发掘出来者。在这四年来的抗战过程中，在初期的阶段，民主政治有过初步的发展，民众动员有过初步的蓬勃的气象，抗战的宣传和文化工作有过初步发展，这种种方面配合着前线英勇战士的再接再厉，使中国的潜在的伟大力量在“全民抗战”、“全面抗战”的迫切要求之下得到若干程度的发挥，由此能在种种困难之下支持了这四年来的光辉战绩。

但是我们总还记得，“唯武器论”自抗战已在实际开始之后，仍在继续散播它的毒菌。我们不否认武器在抗战中的重要作用，我们在抗战过程中当然要尽可能取得精善的武器，以加强我们的抗战力量，但是“唯武器论”者却是主张中国的抗战只须有武器，此外如内部政治的改善，民众动员的加强，抗战宣传及文化工作的迈进，及其他配合军事上需要的种种方面，一概都可以不要。在抗战爆发以前，他们用“唯武器论”来阻碍抗战的发动，在当时他们公开倡言中国的武备要进步到和日本帝国主义者的武备一样，除对日本“和睦邦交”，别无他图。抗战爆发以后，他们仍用种种方式播散着在本质上是同样的毒素。举个明显的例子，你说民主政治实现能加强国力，加速抗战胜利的到来吗？他们就嚣然起来反对，说抗战时期唯一的事情就是打仗，民主政治不是抗战时期所需要的。他们把长期的反侵略的战争看做是一件极简单的事情，好像只要拿着一把刀在数分钟内杀死一个人那么简单，除一把刀外，一切都不需要！次殖民地对于帝国主义者侵略的反抗，它的最后胜利就靠它在抗战过程中继续不断地新生力量，这个基本的认识，更是他们所不愿承认的。在另一方面，真诚拥护抗战国策的人们，真诚要贯彻抗战国策及争取最后胜利的人们，便在种种压迫的情况之下，努力增进一切可以增强整个国力及配合军事上之迫切需要的政策，督促这种种进步政策的实现。

由于上述的实际形势的存在，中国的潜在的伟大力量只得到局部的发挥；中国无限的宝藏只被发掘了一小部分。今日逢到“七七”四周年的光荣纪念日，我们一方面感到欢忭和兴奋，因为在这四年来我们已在坚苦的情况之下支持了抗战国策，国家的命运，没有被妥协主降分子断送；但是在另一方面，我们仍然不免深深地感到这四年来不能有着更光辉的战绩，不能有着更伟大的表现，因为中国的潜在的力量只是得到局部的发挥，中国的无限的宝藏还只是被发掘了一小部分。这是有待于全国爱国同胞的更大努力与推动的。

抗战到了今天，还有些人在那里散播着“新唯武器论”的毒素，他们说现在只要飞机大炮打仗就够了，什么都不必谈，等到抗战胜利以后再说。我们诚然要更多的飞机大炮，但是我们所要指出的是仅仅有了飞机大炮还不够，我们必须同时努力内部政治的改革，然后国力才能加强，然后我们才能有利地运用更多的飞机大炮，为国家民族争取自由解放。

我们拥护“军事第一”，“胜利第一”，但是我们要注意怎样能使“军事”真能达到“第一”，怎样能使“胜利”真能达到“第一”。这就不能仅仅有了飞机大炮而解决一切了。国内的贪官污吏横行，（被检十字）大发其国难财，影响到一般人民及前线士兵的生活，影响到战费的筹措，这是可以用飞机大炮来解决的吗？隐藏在抗战阵营中的妥协主降分子，配合着敌人汉奸的愿望，尽其挑拨离间的能事，企图引起内战，以分散我们集中全力于御侮，这是可以用飞机大炮来解决的吗？有些人在文化工作上尽开着倒车，压迫进步的青年，摧残进步的文化，消除爱国人民对于抗战建国的贡献，削弱整个抗战力量，这是可以用飞机大炮来解决的吗？这种种和抗战最后胜利有着直接间接的关系的事情，是否都可以等到抗战胜利以后再来纠正与改善？抗战最后胜利又怎样可以加速到来？

一向志在阻碍抗战的“唯武器论”又在以新的姿态出现了，我们当前的主要任务是要粉碎“新唯武器论”的阴谋，加强政治革命的要求，以配合新的军事形势的迫切要求，增强整个抗战的力量，加速最后胜利的到来。

对苏联的态度问题

在德苏战争爆发以后，除了德国统制下的小喽啰及某些国家里仍然固执着对于苏联的怨恨而把自己国家民族的利益宁愿因此抛弃不顾的人们，最大多数的同情无疑地是全在苏联方面。即英国首相邱吉尔，一方面尽管公开宣言："二十五年来没有谁比我反共产主义更彻底了，我不收回我所讲过的反对共产主义的任何一句话。"在另一方面却也坦白地说："但是面对着在我们眼前展开的绘卷，这一切都消逝了。"从此就听到他说了不少要援助苏联的话，再没有听到他说一句反苏或责备苏联的话。又例如美国副国务卿韦尔斯，一方面尽管公开宣言："德国和苏联政府都是不让他们的人民有信教自由的，对于美国人民，这些以及其他共产主义专政的教条正如同国社党专政的教条一样不能忍受，一样和他们的信仰相左。”但在另一方面也坦白地说：“不过当前的现实问题是国社党所拼命追求的独霸世界，奴役所有民族和毁灭民主国家的计划能不能有效的被挡住和被打败。”韦尔斯把苏联的主义和德国的纳粹主义等量齐观，是否正确，非本文范围所欲讨论，在这里所要指出的是韦尔斯如同邱吉尔一样，公开宣言是始终反对共产主义的，也就是以前确是反苏的，但现在（指苏德战争爆发以后）却要暂时不算旧帐，主张援苏，在事实上也没有再听到他们今天来一篇反苏的文章，明天来一篇责苏的谈话。德苏战争爆发于六月二十二日，邱吉尔和韦尔斯的上述的演词和谈话都发表于六月二十二日，足见他们反应的敏捷。他们的这样态度的改变，能说他们是采取了“苏联至上”主义吗？能说他们抛弃了英国或美国的立场而是“为着苏联的利益”吗？我想略有头脑的英国人或美国人是不会这样看法的。

以资本主义国家的政治家，看到了为着本国当前的利益而对于苏联毅然搁开旧怨，采取友好的态度，我们不能不佩服他们的眼光如炬罢。

明白了这一点，我们才能进而讨论中国对苏联的态度，但是在我们讨论中国对苏联的态度以前，我们要先谈谈苏联对中国的态度。

一　苏联对中国的态度

苏联对中国的态度可从苏联同情和援助中国的抗战看出来。英美苏都是同情和援助中国抗战的友邦，但迄今为止，苏联仍是援助中国最多的一个友邦。自中国抗战以来美国给中国的借款实际上共为一万万七千万美金，英国给中国的借款实际上不到一万万美金，而苏联给中国的借款共达三万万美金。且在中国抗战后，借款给中国最早的是苏联，最爽快的也是苏联。（例如美国于今年四月正式签订的中美平准基金及购货信用借款，其实在去年十一月即已决定，直延到今年四月二十五日始行签字。）我们对同情和援助中国抗战的各友邦，当然都感谢，当然都珍视，但是在实际上对我国抗战同情最切援助最多的友邦，我们却也不可不知道。我们的“官报”或“准官报”，对于英美借款特别乐于表扬，对于苏联借款往往讳莫如深。我们不反对表扬，但对于讳莫如深却颇难索解。但是某些要人在国外却有时于无意中流露出一些，例如孙哲生先生于一九三九年十一月一日在伦敦发表谈话，就说到“苏联给与我们的援助与军械，实较其他各国为多”。前驻英郭大使说得更具体：“中国自苏联方面获得的物质援助，较之他国方面合并所得者尤多。”（见一九四〇年四月二十六日上海《大美晚报》）蒋夫人在美国《自由周刊》（*Liberty*）上发表过一篇文章（去年十二月二十一日），也说到“智识份子的忠实，迫得我不得不说出中国抗战三年来，得自苏联的物质援助，实较自英美方面获得的总和多至数倍”。

此外我们听到孙哲生先生在国民参政会留渝同人谈话中关于他数次在苏联亲眼看到苏联对中国抗战的热烈态度，尤令人感奋。苏联借给中国的三万万美金是分四次借的，头三次哲生先生都参加过。他说在“八·一三”抗战的前夜，其他友邦对中国抗战都抱着多少怀疑态度的时候，当时在南京的苏联大使慨然表示苏联对中国抗战的信念，自动表示可以借款相助。第一次借款为五千万美金，当时因战备匆迫，条件不及谈，文书不及写，签字手续都不及做，苏联不顾这些，只要中国开一个单子，开明所需要的东西，他们就赶紧照办，打破了向来国际上订定借款合同的先例！后来用过了原额，第二次借款（约在二十八年二月），又借五千万美金，于签订第二次借款合同时，才顺便完成第一次借款的签订手续。到二十八年八月间，看看需要作第三次借款，哲生先生再亲自跑到莫斯科，他想这一次要多借一些，准备对苏联当局说出许多中国抗战的重要和需要某些军械迫切的情形，苏联当局听不到一半，就诚恳表示，这些他们都完全了解，只须中国团结抗战下去，苏联援华是不成问题的，问中国再需要多少，哲生先生以一万万五千万元美金答复他们，他们即照数答应，没有第二句话！

哲生先生报告这段情形时，他说他事前为着借款的成功，竟备着一肚子的话，结果只说出了一些。他慨叹着说，苏联对中国抗战的这样的热烈态度，达到这样的程度，也出乎他的意料之外。

哲生先生还有一段有趣的报告。他说当他在莫斯科时，他每天看莫斯科出版的英文报，对于中国的抗战报导，好像天天在看中国报，因为他们总是用显著的地位，详载中国各战场的胜利消息，凡是不利于中国抗战的任何消息，一概不登。中国鄂北之役大胜利，他在莫斯科的报上最早看到，比中国驻苏大使馆所得的电报还早。他们用最显著的地方和最显著的标题，详载这项胜利的消息，简直把中国的胜利，看作如同他们自己的胜利一样！哲生先生还郑重地指出，你在苏联全国报纸杂志里面，找不出一句不利于中国的话。他随着指出，在他由苏联回到中国之后，在中国的刊物上竟看到不少毁谤或诬蔑苏联的话，使他两相比较之下，感到非常惭愧。（哲生先生不但在国民参政会留渝同人谈话会中谈到这一点，有一次他在中央党部对文化界——包括日报及各杂志的编辑人——的演讲，也谈到这一点。）

我想哲生先生的这样对苏联的态度，是完全为着中国的利益，绝对不是采用了什么"苏联至上"主义，绝对不是抛弃了中国的立场而"为着苏联的利益"。

二　中国对苏联的态度

我们对于同情和援助中国的各友邦当然都感谢，都珍视，我们并没有主张只须领受苏联的援助而摒弃英美的援助。我们为着抗战的胜利，一面要自力更生，一面要尽力争取更多的一切外援。但是我们却主张对于最邻近中国的、反法西斯最坚决的、对中国抗战同情最切援助最多的苏联，须特别加强友好和合作的关系。这种态度是完全和中国的国家民族的利益相符合的。我们的敌人日本帝国主义者，它处心积虑，千方百计所企图者，是希望在中国能造成反苏的高潮，或至少要时常引起中国人对于苏联的恶感或嫉视，由此破坏中国在抗战期间一个最同情的战友——苏联（同时对中国内部还可收到分化的作用），这当然是和日本有利而对中国有害的。这当然不是中国人所愿有的，但是中国人中却有一些专在挑拨离间中苏感情上做工夫，好像只有反苏的态度才符合“国家至上，民族至上”的原则，否则便是“苏联至上”主义，便是“为着苏联的利益”。无论他们主观上的动机如何，而在客观上却是陷入了日本帝国主义者的圈套。

德苏战争爆发以后，英美当局都为着他们各国本身当前的利益，没有和苏联算旧帐，上面所述的邱吉尔和韦尔斯的态度，便是明证。欧战爆发的前夜，英法苏谈判久久没有效果，而《德苏互不侵犯协定》却迅速成立，这笔旧帐在英国看来当然有着切身的关系，但是我们却没有听到英国自己在德苏战争爆发后，提出这件事来攻击苏联。即在苏联方面，李维诺夫最近向欧美的广播演讲，也说当前不是时候容许再详论当时苏联呼吁集体制裁德国的无效是由于什么缘故，可见苏联对此事也无意算旧帐。而殊可奇异的是我国在德苏战争爆发之后，却有“官报”或“准官报”对这笔旧帐大感兴趣，历数苏联一误再误三误四误，好像苏联之受到侵略，是咎由自取，真是所谓活该！关于当时英法苏谈判之所以失败，其责任何在，在今日已成国际知识中的常识，更非本文范围所及，在这里所欲指出的是在中国似乎有些人处处以反苏态度作为“国家至上，民族至上”的表示，这一点是实令人不能索解的。

苏联把中国的胜利看做他们自己的胜利一样，这是哲生先生亲历的印象。在中国却有些人故意使苏联的利益和中国的利益对立起来。他们说“苏俄必须转而尊重中国的抗战”，好像在各友邦中援助中国抗战最多的苏联是一向破坏中国抗战，现在要“转”一下才好！他们说

“亲苏者当知支持中国抗战就是保卫苏联”，好像主张“亲苏”者就只是保卫苏联，不是保卫中国，只有反苏者是在保卫中国！他们听到有人主张“全国一致于日军开始北上进攻苏联时，立即为全线反攻”，是为着苏联而战，不是为中国而战，他们不想中国乘日本分散兵力北进时，更是中国为着中国利益而全线反攻的好机会，更是争取中国抗战更大胜利的好机会。这固然于苏联有利，但于中国也有利，中苏利益不是对立的，而他们的意思却把中苏的利益对立起来，最好日本北进时，中国停止反攻，只要能让苏联大吃苦头，就是抛弃中国为着中国利益而全线反攻的好机会，就是抛弃争取中国抗战更大胜利的好机会，也在所不惜！这是有些人的对苏联态度所引伸的逻辑的结果。这与中国的利益是背道而驰的。

中苏两大伟大民族是全世界反法西斯侵略的两大支柱，它们的利益是相辅相成而不是相对立的，它们的友好的关系和密切的合作是全世界光明前途的源泉。它们反法西斯侵略的战争，能够得到最后的胜利，是全世界的人类解放的两盏明灯，是全世界最优秀的儿女所渴望的。这是我们所应有的基本的认识。

反民主的几种烟幕

根据国父中山先生“中国非民主不可”的遗教，中国非走上民主之路不可。根据蒋委员长屡次在国民参政会中的公开表示，中国非走上民主之路不可。根据在野的抗日各党派及全国人民的要求，中国非走上民主之路不可。根据抗战期间政治改革为解决一切困难的枢纽，中国非走上民主之路不可。根据同情及援助中国抗战的各民主国家对于中国的希望，中国非走上民主之路不可。但是直到现在，所谓中国的民主云云，仍留在国父的《中山全书》和蒋委员长的公开宣言中，在事实上并未曾实现，于是全国对民主政治实现的要求，一天天热烈和普遍起来，不但在前年八月的国民参政会第四次大会和去年四月的第五次国民大会中发生了要求宪政的激烈讨论，而且由于在野的抗日各党派及全国人民不满于政治上“挂羊头卖狗肉”的实际状况，民主政治运动是在一天天扩大。于是反民主者为之颤抖，为之丧胆，但却不敢明目张胆地反对民主，不得不在种种烟幕之下，企图乱人耳目，分散视线，阻遏民主政治运动的怒潮。

第一种烟幕是公开明言或努力暗示抗战和民主的不相容。这种烟幕，从抗战爆发以来就一直不停地放着。在第四次国民参政会通过要求实行宪政案以后，这种烟幕放得特别浓厚，他们公开宣言“实行民主必不利于抗战，要实行抗战必须暂时停止民主”。这种言论，或隐或现地，在“党报”“党刊”上简直是满坑满谷。但是蒋议长却在国民参政会中对要求实行宪政案的通过，表示非常重视，他公开郑重宣言：“敌阀末路虽临，而野心不戢，加以国际之变动，愈启其投机之欲念，故中国欲贯彻其绝对必要之作战目的，更须动员全民，加强长期抗战之一切设施……一切力量皆须发扬，一切缺憾皆须填补……提高民权，加强国本应为最要之务……”这至少说明了民主不但不与抗战不相容，而且“提高民权，加强国本”，反而与抗战大有裨益。我们现在所要求者只是政府要把领袖的指示见于事实，实行起来。

但是你如果不满足于抗战期间应该实现民主仅见于话语而不见于实施，对政府提出要求吗？那你可以看到另一道烟幕！反民主者以非常沉痛的姿态放出这样的烟幕："朋友！请你睁开眼睛来看看中华民国的神圣国土上，是充满了异族的腥膻；成千成万的兄弟姊妹遭受奸淫屠杀；在这样的时候，我们应该向抗战的政府争自由呢？还是向民族的敌人争自由？……前方的战士正在和敌人拼死命，争胜负，后方的少数人却和政府打麻烦，要自由（指民主自由），扪心自问，这种言论与行动，对得起国家民族吗？"这确是很动人的论调，你在万分悲感中听了之后，除了收回政治改革的要求，除了立刻停止民主政治运动，怎么对得起"成千成万的兄弟姊妹"呢？又怎么对得起"前方的战士"呢？还是三缄其口，不要"打麻烦"罢！

但是我们为中国政治的光明前途，为中国抗战的光明前途，必须揭穿这种欺骗的烟幕！侵略我们的敌人的残酷是事实，我们必须向民族的敌人争自由也是不成问题的，但是横行无忌的压迫人民的党老爷，害国害民的贪官污吏，发国难财无恶不作的权贵，却不能以此为借口而钳制人民对于民主政治、清明政治的要求，却不能以此为借口而钳制被压迫被摧残的人民对于民主自由的要求。而且我们要铲除政治上的黑暗部分，正是要实现“提高民权，加强国本”，使我们“向民族的敌人争自由”得到加速的成功，正是要不辜负“成千成万的兄弟姊妹”，正是要不辜负“前方的战士”！老爷们感觉“打麻烦”头痛吗？这不是“少数人”的“打麻烦”，而是最大多数人的迫切要求，我们“扪心自问”，要“对得起国家民族”，只得对不住你们了！

第二种烟幕是把国家自由和个人自由对立起来。他们说：“要为个人争自由，须先替国家争自由。要为人民争民权，须先替国家争国权。”当然，“替国家争自由”，“替国家争国权”，这是谁也都赞成的。这里的妙处在一个“先”字，这“先”字初看起来似乎很可欢迎，因为能“先替国家争自由”，能“先替国家争国权”，你能表示不欢迎吗？烟幕的妙用就在此。“先”字的妙用在下文，即他们接着强调“我们要牺牲各个人的自由”，要“全体国民各人对自由的牺牲”。这暗示了个人自由和国家自由（或民权和国权）是绝对处于对立的地位，要保全甲，就非先牺牲乙不可。这个理论如果正确，你在抗战期间还敢主张民主政治或民权的实现吗？那你便犯了破坏国家自由，破坏国权的大罪！你看这烟幕是多么利害，老爷们为什么用尽气力把它放得乌烟瘴气呢！

为要揭破这又一欺骗的烟幕，我们要扼要地指出二点：

第一点是一般宪法上所规定的个人自由（我们《训政时期约法》及《抗战建国纲领》中对此都有规定）并不与国家自由处于对立的地位。个人自由，主要的是人民的生命财产自由，言论出版集会结社自由。国家在宪法及法律范围内需要人民服兵役及贡献财产，不是侵犯人民的自由（在民主政治下，宪法及法律都是由民意机关通过的，不是老爷"要怎么办就怎么办"），人民生命财产在法律上应得的保障并没有被取消。至于言论出版集会结社的自由，不但不与国家自由不相容，而且在"提高民权"之下，可以加强国力，动员民众，加速国家自由的争取，《抗战建国纲领》是在抗战爆发后，即由政府公布的，对于人民的言论出版集会结社的自由，有"与以合法充分之保障"的规定，便是明证。"替国家争国权”是民族主义，“为人民争民权”是民权主义，难道民权主义和民族主义是对立，是不相容的吗？难道三民主义在抗战期间应该改为二民主义吗（如果民生主义还在的话）？《国民党第一次全国代表大会宣言》，就已明白规定“确定人民有集会、结社、言论、出版、居住、信仰之完全自由权”，难道是只顾个人自由而放弃了“替国家争自由”“替国家争国权”吗？最近国民政府又将第二届国民参政会关于“申令各级官吏不得借口军事，非法侵害人民生命财产及一切自由”的决议案，通令全国一番，难道又是只顾个人自由而放弃了“替国家争自由”“替国家争取国权”吗？

我们要指出的第二点是：在不良的政治之下，人民的个人自由遭受种种的摧残，尽管“牺牲各个人的自由”，尽管“全体国民对自由的牺牲”，不但无益于“国家自由”的争取，而且因放纵党老爷的横行，贪官污吏的横行，权贵的横行，加深了政治的腐化，反而削弱了国力，妨碍到“国家自由”的争取。试一翻阅最近出版的《时代批评》“人权运动专号”中所报告的许多“摧残人权的事实”，有哪一件是有益于“国家自由”的争取？抑是削弱了国力，反而妨碍到“国家自由”的争取？

第三种烟幕是诬蔑要求实现民主政治是要推翻现有的政治中心，是要颠覆政府。这是多么大的一个罪名！把这个罪名加在你的头上，你还敢再要求民主政治的实现吗？这样一来，老爷又可免“打麻烦”的头痛，反民主者大可高枕而卧，乐哉乐哉！但是如果要求民主政治的实现就是犯了颠覆政府的大罪，那么国民参政会以及国民党六中全会的召集国民大会实施宪政的决议都是颠覆政府的阴谋！（因为都还留在纸上，所以只得称为阴谋。）那末蒋委员长对国民参政会同人诚恳的表示“关于提早颁行宪法，使国家得有永久性的根本大法，使建国的规模完全确立，使国民努力于国家之事，在义务上权利上，更有灼然共循的准则，这不仅是全国贤智一致所期望，也是中央这十年来所不断努力以求的一件大事”，难道“全国贤智”以及“中央”“十年来”都犯了颠覆政府的大罪吗？其实全国人民所希望者是抗战的最后胜利，在执行抗战国策的政府，谁也不想颠覆它，国民对于实现民主政治的要求，只是要改善它充实它，以加强对于抗战的领导则有之，要实现蒋委员长所指示的

“一切力量须发扬，一切缺憾皆须填补，提高民权，加强国本”则有之，如说是要颠覆政府，那只是反民主者独出心裁捏造出来的产物，用来吓人罢了！

第四种烟幕是亡国的恫吓。他们遇着欧洲每一个国家在希特勒“闪电战”之下亡了国，便好像挥着一副眼泪一把鼻涕，不胜唏嘘地说，你看，亡了国的人民还有什么民主自由可说！亡了国的人民没有什么民主自由可说，这诚然是事实，但却不足以说明民主自由是要不得的，是不该要的，是可以让压迫人民摧残人民的党老爷们横行的。这理由实极简单。譬如我们看见有人不幸被打死了，指着对人说，你看，死了的人还有什么吃饭可说！这诚然也是事实，但却不足以说明饭是吃不得的，是不该吃的，是可以让专横无理的人抢去吃的。反民主的老爷们或老爷们的代言人，想把亡了国的人民没有民主自由可说的事实来奉劝中国人民不要再要求民主政治，这和有人把死了的人没有吃饭可说的事实来奉劝人们不再要求吃饭，不是同样的浅薄可笑吗？但是他们却津津乐道，说了再说，你又奈他们何呢？在最近的法国革命纪念日还听到这样的妙论：“法国是提倡自由平等最早的国家，法国今日是屈降了，法国国家今日丧失了自由，法国人民的自由在哪里？”法国亡了，法国人民没有什么自由可说，你们为什么还在要求民主自由？这用意和上述的相同，所不同者是把法国的屈降，法国的亡国，都算在“法国是提倡自由平等最早的国家”这一笔帐上去！你看，这是多么危险！法国因为“提倡自由平等最早”，就不免屈降而亡国，如果提倡得迟一些，也许还有一线希望！所以你最好不再要求民主政治的实现，万不得已而取其次，慢一些要求，那么屈降或亡国之灾也许还可以有一线的希望不致发生！这是多么沉痛而恳挚的呼吁啊！但是这个烟幕无论费了多少心血发明出来，又必然是要失败的，因为法国的屈降和亡国不是由于民主政治的保持，正是由于民主政治的被摧残，已成为众所周知的事实，和法国是否最早提倡自由平等的国家，毫不相干！

以上所举的四种烟幕，是最常见的，总的目标是在反民主，虽趑趄忸怩，转湾抹角，“司马昭之心”仍然显而易见。

反民主者因痛恨“民主自由”，看到“自由”这个名词就觉得讨厌，所以极力主张改为“群己界限”。甚至有人认为滇缅路之所以糟糕，应归究于该路“拥有若干歌颂自由和民主的专家”，民主真该万死！但在国际方面，民主却相当时髦。美国正在强调援助民主国，反纳粹德国的各国也都在争取“民主胜利”，所以何部长早对美国广播说中国是“民主国家”，最近吴铁城氏又对美广播说中国的抗战不仅在争取自己的独立，同时也是为民主而战（见七月十六日香港英文《华南早报》），最近美国政治顾问拉第摩尔到港，也有人赶紧“敬告”他要认识中国是“民主国家”，“最显明的如国民参政会”，便是“充分表现”云云。可见民主政治对抗战的中国是确有益处的，如果真能百尺竿头进一步，其力量之伟大更可想见，稍稍忍耐“麻烦”为着“国家至上，民族至上”，实在是很值得的。不知反民主的先生们“扪心自问”，以为如何？

附记：本文刚脱稿，看见有人又发出一道反民主的烟幕，说论到英国“加强政治民主”，就是等于要“用阶级独裁来代替民主”！其实英国的民主政治是时时在发展中，时时在进步中，并不像我们样样以我们的现状为满足，听到“加强”就要急跳。例如英国的政治学权威拉斯基教授在英国积极作战期间，还著文大声疾呼，说英国要胜利，还应该“加深并扩大民主政治的领域”（见拉斯基所著《英国政治改革与胜利的联系》一文，登 *New York Times* Oct.20.1940），英国人自己常在努力求进步！我们能以自己讨厌进步的心情来阻止别人吗？自己讨厌乃至痛恨“加强政治的民主”，不妨明说，何必又来一道烟幕呢？国人要推动中国政治的进步，要时刻注意各种各式反民主的烟幕，要驱散这些烟幕，才能拨云雾而见青天。

国际友人对中国民主的热望

一　由寇里到拉第摩尔

去年九月底德意日三国同盟成立以后，英美鉴于日本南进阴谋愈趋愈烈，绥靖政策愈无希望，于是对于日本的态度渐趋强硬，对于援华亦渐趋积极。于是英国重开滇缅路（去年十月十八日），美国宣布对华贷款一万万美元（去年十一月三十日）。这种国际形势对于中国抗战显然是有利的好转，因为敌人分心南进，势不能用全力来征服中国，而英美为了希望中国在远东能加紧拖住日本，势不得不加紧援华。但是很不幸的是当时这种有利国际形势好转反而鼓励了国内一部分短视的顽固分子，认为敌人已可不成问题，转移目光来对内。去年十二月底，内部磨擦渐达白热化，美国舆论亦表示关切。

美国一面正在开始想如何加强援华抗日，一面也想到中国的内部政治问题和抗战前途实有不可分离的关系。就是在这样的气氛之中，罗斯福总统的代表寇里于今年一月间奉命飞到了重庆。所以美国《时代》杂志的编辑伊里阿·詹卫尼最近在《生活》杂志上所发表的罗斯福对付希特勒一文中，说“当寇里到达中国的时候，日本正在殷切地等候着中国发生再行分裂的内战”。在寇里将到之前，各方面对于他的来华使命，纷纷揣测，莫衷一是，当时美国国际新闻社的驻渝记者贝尔登却首先得到美国的消息，说寇里来华负有二个任务：第一是调查国共冲突的实际情形，第二是调查中国的实际需要，以便对一万万元的贷款作最后的决定。当时第二个任务已在各报透露出来，第一个任务讳莫如深，未曾被许公开。

寇里在中国的时候，发表言论非常谨慎，回国后的报告也未曾公布。据政府中某要人得到的消息，在他的报告之中，曾有一点颇为中国政治上的法西斯作风担忧。而据上述《生活》杂志一文所说，寇里在中国的时候，“他称赞委员长为罗斯福实行民主政治的同道领袖”。这似乎是互相矛盾，其实这正是国际友人对于中国需要实现民主政治的关切态度：一方面在实际观察中感到中国需要民主的迫切，一方面表示对于中国领袖实行民主政治的热望。紧随着寇里来华的有在财政会议中强调民主的财政专家福克斯和素来主张民主的政治顾问拉第摩尔，蛛丝马迹，更属显然。

福克斯在财政会议第三次大会席上发表演说（今年六月二十日在重庆），他一方面指出“无团结则国家不能生存，国内团结一致，乃中国基本力量之所在，可以粉碎一切敌人征服中国之企图”，一方面指示精诚团结是建立在“政府人民间具有一种真正之民主关系”，并指出经济问题是和政治问题有着不可分的密切关系，“关于预算的管理必须有一组织完善和统一的制度，政府财政的完全公开乃民主政府的必要特点”，“至于人员的登庸则必须以才能为唯一的根据，而不能根据其人的政治关系或社会地位”。他更进一步指出：“美国政府使美国成为民主国家的兵工厂，于是中国亦可获得美国的更多的援助。美国所以愿意对中国继续其财政上与军需上的援助，就是由于希望中国民主政治能够推进。”据美国朋友说，福克斯的英文原稿措辞还要直率，发表时尚经过我国官方通讯社的“润饰”，但即就发表的演词看，他对中国民主的热望也已可概见了。

紧接着福克斯之后来华的是最近离港赴渝的拉第摩尔。拉第摩尔对于中国民主的热望，在他以前所发表的文章是已有充分的表现，例如他在 *Amerasia* 上所发表的《英美应全力援助中国》一文，就说“美国的政策不应以保全民主国家的利益为已足，而应该扶助其他民主国家，使民主主义能够发扬光大”。此处所谓“民主国家”指英美，所谓“其他民主国家”，即指中国。又例如他在 *Foreign affairs* 上所发表的《中国战争的相持》一文里，肯定说“最大多数的中国人只是被‘民族独立’和‘民主共和国’的要求团结拢来的”。也许就是为了拉第摩尔对于中国的民主要求有着这样热烈的表示，中国舆论对于这位政治顾问曾致殷切的希望，同时也吓坏了某些人。有的赶紧向他“敬告”，叫他认识中国已是民主国家，国民参政会就已是充分表现；有的赶紧“告”他一下，不胜慨叹于“所得熟谙华事者大概不出两类，其一为只见中国浮浅之现象，因而鄙弃傲视者，又为一毛细察，好摭拾奇闻而不究实际者”。拉第摩尔显然被归入第二类。有的索性对他下警告，说“关于内政，我当局自能锐意辟划，尚可勿须他人借箸代筹”，这就等于奉劝这位政治顾问最好的顾而不问或更进一步不顾不问了！

二　卡尔大使的民主演词

卡尔大使是外交官，他的公开演说的措词当然是格外审慎、格外客气的，他对于中国政治当然不像我们本国国民对于本国政治之可有自由批评的权利和责任，但是他同时也不能公开作离开事实太远的歌颂。他于七月十六日在重庆国民外交协会演讲“民主政治”，讲到中国，他说：“以外国观察者看来，似乎贵国业既采取走向民主的第一巨步，试观贵国之成立国民参政会，其特色已引起每一旁观者之钦敬。”他举出国民参政会做例子，来证明中国“似乎”“走向民主”，这比我国“要人”“对美广播”，喊着“我国一切事业皆大进步，成为真正民主政治之国家，全国人民亦得享受民主政治的生活”，似乎斟酌得多了。后者的说法是中国已达到了尽善尽美的民主国的境域，何必再有什么实现民主的要求呢？前者的说法，即令承认国民参政会是“走向民主政治的第一巨步”，也只是表示“似乎”走向民主，而且还有第二步第三步……应该继续不断地走去。

卡尔大使认为中国走上民主之路，进步必甚迅速，因为中国人民适合于民主。他说：“譬如诸君将迅速认识民主制度之力量，在于坦白承认意见及利益之不同，容忍及理解之习惯，政治之涵养，及认识互相让步之价值。凡此对于中国人民当易办到，因诸君对于互让、智慧，已成为天性。”我们虽不敢说只有中国人民适合于民主，但专制主义在中国之必然失败，却是铁的事实，否则焚书坑儒的秦始皇当能万万世而不致二世就亡了。现在在敌后的中国区域有许多地方采行了民主政治，人民都能运用自如，进步迅速，也足为卡尔大使对于中国人民能够运用民主政治的佐证。现在成问题的，是有人正在千方百计阻碍中国整个政治真正走上民主之路。

三　英国朋友的远东舆论

自从中国政治中心迁移到重庆以后，香港是最接近中国政治中心的一个重要据点，香港的热心中国情况的国际朋友，对于中国实际情形比较上有着最明确的印象和见解，说明了这一点。代表英国人士在远东舆论的香港英文《南华早报》，它对于中国民主的态度，尤其值得我们特别的注意。

在今年三月间，接在新四军不幸事件之后，国共的继续磨擦仍在进行着，该报即于三月十三日发表社论，题为《中国的团结》，认为国共磨擦的危机不是“可以用言语了之”，不是“可以用表示国民党之坚决态度了之”，不是“可以用宣传了之”，并指出“整个团结问题，非独国共纠纷，而对于中国之继续抗战，及消灭投机分子，实为当务之急”。它肯定认为要解决中国一切困难，“唯有民主政治，可使之确能安定”，而“国民党的一党专政与民主政治能否融合，实成问题”。

最近拉第摩尔到港，该报于七月十九日且又发表社论，题为《拉第摩尔的任务》，对于中国迫切需要实行民主政治尤有很恳切的指陈。该报指出中国内部问题包括政治的和经济的。“就政治言，主要任务为保证继续团结。说国共间有磨擦，那是犯了形式主义的错误。在实际上，磨擦的两方，一方为无条件地遵守抗战的客观要求者，还有一方认为旧秩序的任何改变都是大祸，即使由此可以得到民族胜利的代价亦不足偿其所失。成为中国内部团结的最大的威胁，不是共产党而是潜伏的贝当们。”该报接着认为对于引起国事纠纷的当前政治，“其唯一的代替物是能够代表人民的民主机构。这也是使包办主义所排斥的人才得为抗战尽力的唯一方法”。

其次关于经济问题的解决，该报在这篇社论里也认为与政治的改革有连带的关系。“如有以民主组织的人民为抗战所需要的任何措施的后盾，委员长便不致忧惧因自地方豪绅军阀手里征集粮食，因增加战时利润税，而酿成严重的骚扰。所以在这里如在内部团结一样，民主是任何改革的前提。”（以下被检五十三字）

四　值得注意的几点

国际友人对于中国民主的热望，值得我们的铭感，尤值得我们的深思。我要在这里提出几个尤其值得我注意的要点，以供国人的参考：

（一）上述的国际朋友对于我国的最高领袖都是十分崇敬的，福克斯和拉第摩尔几于无次谈话不提及蒋委员长为“最伟大的领袖”，尤其是我们所熟闻的，他们没有“推翻政治中心”的野心也当然不成问题，但是他们对于中国需要政治改革，中国需要民主政治，却作了一致的呼声。虽然外交官及客卿措辞委婉些，主笔先生的言论露骨些，但是国际友人对于中国要求进步的善意的希望，却是同样可感的。

（二）同情中国抗战的美国要加紧援助中国抗战，就得赶紧借钱，赶紧运军火来就是了，为什么还要想到民主政治这个为某些人所痛心疾首的劳什子呢？福克斯要来帮助中国解决法币问题，抓住法币不是就够了么？为什么也要扯到什么民主政治？这个答案很简单，民主政治的实现是抗战期间解决政治经济一切困难问题乃至巩固团结的前提，是加强中国抗战力量的基本条件，也就是与抗战最后胜利是分不开的。关于这方面，英文《南华早报》的公论也给了我们以很扼要而正确的解释。在这一方面，说明了民主政治为抗战所迫切需要，在另一方面也说明了我国的政治全能刷新，也全能加强外援。

（三）卡尔大使说中国“似乎走向民主”，这“似乎”可喜亦复可悲！说可喜，也许可由“似乎”而进一步变为“真实”。说可悲，是“（被检六字）”，把“（被检二字）”当“（被检七字）”更是遥遥无期！中国现在迫切需要的民主政治，不是仅仅字面的民主，决议案上的民主，宣言上的民主，广播中的民主，而是切切实实在事实上的民主！一向被舆论认为不足称做民意机关的国民参政会，最近似乎颇为走运，因为要人们谈到中国已是民主国，总要怪可怜的拉它一把，但是它被作为粉饰太平的点缀固有余，作为监督政府督促政府的民意机关则从何说起！

揭穿妨害民主的几种论调

国父中山先生一生为民主政治的实现而奋斗，始终不懈，他曾经说过：“现在的中华民国还是官治，武人治，不是民治。”他又曾经说过：“必须先有民治，然后才能够真是民有，真是民享。”其实中山先生的整部遗教都是“充满着奋斗的真正的民主主义”（列宁尊崇中山先生的话）。我们回想到中山先生为了号召国民会议而北上，为了力争民主而与恶势力苦斗，才病死于北京，未尝不惨然想念这位到死仍为民主奋斗的不朽的巨人，而引起我们无限的兴奋。但是到了今日，使我们不胜诧异和痛心的现象，却是反民主最热烈的是所谓党报党刊。我曾经写了一篇《反民主的几种烟幕》（见七月十九日本报），希望能为中国的民主政治前途“拨云雾而见青天”，可是在民主势力和反民主势力斗争尖锐的今日，反民主的言论仍然层出不穷，甚嚣尘上，还需要我们提高警觉，不受欺骗。现在要就最常见的几种论调，再加检讨，借以扫除妨害民主发展的障碍。

一　国家至上与民主自由

第一，他们常捧出“国家至上”的大帽子来反对民主的要求。他们主张除了拥护“国家至上”之外，“我们要牺牲各个人的自由”，要“全体国民各人对自由的牺牲”，换句话说，在“国家至上”的口号之下，国民对于民主自由的要求是绝对不应提出的，否则便是犯了违反“国家至上”的大罪。关于这种说法，我们要提出三点：

（一）国家是为人民而存在的，只有法西斯的国家观，才把国家和人民强为划分开来。法西斯主义者才认为“国家不仅是个人的集合体，个人在这当中，仅仅是迅速消逝的一分子，国家是民族的一切物质和非物质价值最高的信念”（墨索里尼语）。所以在法西斯主义者的所谓“国家至上”，对外固然要侵略其他国家，对内却要压迫人民，剥夺人民的一切民主自由，因为法西斯主义者的国家不是人民大众的国家。民主国的所谓“国家至上”的“国家”，正为着保卫民主自由而反抗法西斯摧残民主自由的国家，它没有理由把正在号召保卫的民主自由，借口“国家至上”，要强迫人民“牺牲各个人的自由”，要“全国国民各人对自由的牺牲”，效法法西斯主义者那样压迫人民，剥夺人民的一切民主自由。

（二）中国只是挂了“民国”的招牌，在实际上并未实现民主政治，但依国父遗教所诏示，显然不应效法法西斯国家，借口“国家至上”而压迫人民，剥夺人民的一切民主自由。中山先生的国家观，不是像法西斯主义者那样把国家神秘化，强迫人民为着这神秘化的国家，超出人民以上的国家，而牺牲自己的一切民主自由。恰恰相反，中山先生所反对的只是“一盘散沙”的“自由”（见《民权主义》第二讲），却重视“中华民国的主权属于国民全体”（中山先生曾说：“在南京订出来的约法里头，只有中华民国主权属于国民全体那一条，是兄弟所主张的。”）。却重视“今日我们主张民权，是要把政权放在人民掌握之中”（中山先生语）。却重视“以民为主，拿民来治国家”（亦中山先生语）。依国父遗教，简直是“人民至上”，和法西斯主义者之“草芥人民”，视人民如无物，完全相反。在国父遗教下的所谓“国家至上”的国家，和民主自由不是不相容的。

（三）况且在官僚专制的实际状况下，由党老爷官老爷嘴里呼出的“国家至上”，在实际上是等于“（被检十字）”！在往昔封建时代，地主们为着保持自己的权力，也要借口国家作为护符，在实际上是维持地主们对于农奴农民的政权。现代的中国人民，依国父遗教，即在“国家至上”的原则之下，也没有理由可以剥夺人民的一切民主自由，那末在“（被检三十八字）”呢？而且在另一方面，今日我们积极主张实现民主政治，正是要使官僚专制的国家变成国父遗教中所诏示的“以民为主”的民主国家，正是要充实“国家至上”的意义，因为官僚专制的“国家”配不上“至上”，只有“以民为主”的国家才配得上“至上”，尽管这种说法是法西斯主义者或官僚专制主义者所不愿接受的。

二　无政府与民主政治

第二，他们故意把“民主”解释为“散漫无政府状态”。党报的论客把滇缅路的腐败，归罪于“拥有若干歌颂民主的专家”，已是奇论，而向时又把“民主”认为“只是散漫无政府状态的代名”，那更是为“民主”加上了一个莫须有的罪名。在抗战时期，我们需要集中力量加强力量来抗敌，如今“民主”既等于“散漫无政府状态”，那“民主”当然是要不得的了。这在这些论客们无疑地认为是打击民主的最响亮而动人的理由。其实这种说法并不新奇，在去年宪政运动初开始时，党老爷即大喊“抗战时期势非实行集权不可，宪政与抗战不能同时并行”。如今不过是略换花样，实际是老调重弹罢了。但是“民主”如果“只是散漫无政府状态的代名”，那末中国现在随着各民主国家高喊“为保卫民主而战”，大可改为“为保卫散漫无政府状态而战”了！中山先生一生创导民主政治，难道也等于倡导“散漫无政府状态”吗？

其实民主政治与“散漫无政府状态”是风马牛不相

及，乃是一种极寻常的常识。在民主政治之下，有代表人民的民意机关监督政府督促政府，是一般民主国家的常态，如果说一个政府有着一个代表人民的民意机关在旁监督和督促，便陷入了“散漫无政府状态”，那末凡有议会制度存在的各民主国，难道都陷入了“散漫无政府状态”吗？

其实任何实行民主政治的国家，民主不但不妨碍集权，而且民主集权是当然的现象。重要国政取决于民意机关，执行则集中于行政元首或责任内阁，民主与专制对立，并不与集权对立。这原是政治上的常识，但是反民主的党老爷们却不管常识不常识，替民主加上一个罪名再说！

在同样的意识之下，他们有的还借口“成为一个统一强固的战斗体”来反对民主。他们说：“自这次欧战实际爆发以来，差不多每一个月，都有一个不统一的、不强固的战斗体，被另一个统一强固的战斗体的纳粹德国所灭亡！”（见第四十八期《中央周刊》）这样看来，中国要“成为一个统一强固的战斗体”，只要步武“纳粹德国”，哪里再有什么实现民主政治的要求可说！但是老民主国的英国首相邱吉尔最近在众院中演说，却说：“我们（指英国）不是全权（指法西斯化）的国家，但我们已在造成全民的战争机构。”实行民主政治的苏联（虽则苏联是无产阶级专政的民主，不与中国所应采用的各阶层合作的全民民主完全相同），也粉碎了“纳粹德国”的闪电战。民主政治并不妨碍“成为一个统一强固的战斗体”，因为它不是“散漫无政府状态的代名”。

三　中国已实现了民主吗？

这个问题答案，据国民党中央党部秘书长吴铁城先生的意见，认为“我国一切事业皆大进步，成为真正民主政治之国家，人民亦得享受民主政治之生活”（见七月二十三日香港《国民日报》），而另一位党老爷也郑重宣言：“其实国民党……不仅不在专政，而且还有充分的彻底的民主精神。”（见第四十六期《中央周刊》）这本来是一个极可喜的消息，因为全国爱国同胞所渴望者原来不外乎“成为真正民主政治的国家”，“享受民主政治之生活”，“充分的彻底的民主精神”，现在据说都有了，我们做人民的除了欢欣鼓舞歌功颂德之外，还有什么话可说呢？难道还好意思再提出什么实现民主政治的要求吗？这样一来，对于民主政治的实现，又多了一个挡箭牌！

但是空扯有什么用？古往今来的民主政治尽管有种种形式，但在事实上（请特别注意事实二字）至少有下述几个事实（再请特别注意事实二字）：

（一）起码应该有人民选出的代表人民的民意机关，负起监督政府督促政府的责任。关于这一点，无论要人们对国外急来抱佛脚时总是要对怪可怜的国民参政会拉一把，拉出来作为中国已经实现了民主的铁证，（但是在第二届国民参政会将开会前，因中共参政员拒绝出席，中央某要人却说出了老实话，他说这有什么重要，国民参政会有什么力量，不过是蒋委员长叫许多人来听听训罢了！）甚至有人说这是民主政治在中国的“充分表现”！但是事实如何？国民参政会是否由民选产生？它的职权是否能够负起民意机关监督政府督促政府的责任？（第二届国民参政员虽有一部分由省参议会选出，党老爷曾称赏不置，认为一大进步，但省参议员本身却是由省政府和省党部联席会议产生候选人，这真是掩耳盗铃！）

（二）起码应该有对民意机关负责的政府。中山先生说："人民有了大权，政府能不能做工夫，要做什么样的工夫，便要随人民的自愿……人民有直接管理政府之权，便要政府的动作随时受人民的指挥。"他又说："人民得到了直接选举权，还要有罢免权，官吏不好的，人民可以罢免。"这些事实都实现了没有？如果没有实现，中国是否可以说是已"成为真正民主政治之国家"？在今日情况之下，权贵凭藉政治力量发国难财，动辄数千百万，党老爷压迫人民，横行无忌，抗战阵营中的亲日派造谣生事，破坏团结，尽管道路传闻，人民侧目，已成公开秘密，但人民对他们有什么实际的制裁力量？还不是腐心啮指，无可如何！

（三）起码对于人民的最低限度的民主自由应有切实的合法保障。中山先生在民国十二年一月一日《中国国民党宣言》书中就说："确定人民有集会、结社、言论、出版、居住、信仰之绝对自由权。"又在《国民党之政纲》"对内政策"中说："确定人民集会、结社、言论、出版、居住、信仰之完全自由权。"约法及《抗战建国纲领》中对于人民的民主自由也有明确的规定。但遗教和"纲领”中有规定是一件事，事实上是否照办又是另一件事。请稍稍翻阅《时代批评》“人权运动专号”中“摧残人权事实”的内容，想想当前的实际现象。曾经参加《五五宪草》起草的立法委员吴经熊、黄公觉二先生在他们所著的《中国制宪史》一书中，论及民权时，曾引伍朝枢先生致孙哲生先生论北洋军阀蹂躏人民一信中语：“军阀专横，官吏恣肆，对于人民身体自由任意蹂躏，往往无故加以拘禁。拘时固不经法定之手续，拘后则审询无期，又不开释，致令久禁囹圄，呼吁无门。即有亲友营救，除请托及贿赂外，更无途径可寻。其结果有不宣布理由而径行释放者，甚至擅处私刑者，似此黑暗情状，计唯有吾国历史所谓乱世及欧洲中古时代始有之。”如（以下被检四十八字）！

无论借口“国家至上”来剥夺人民的一切民主自由，把“散漫无政府状态”加罪于民主政治，或公开宣称中国已“成为真正民主政治之国家”已有了“充分的彻底的民主精神”，归根到底一句话：骨子里都是在反民主！我们却要高呼国父所训示的“革命尚未成功，同志仍须努力”！

国父对苏联的态度

自从《英苏军事协定》成立之后，世界反法西斯侵略阵线日形团结巩固，苏联对于中国抗战的援助固本其一贯的政策，继续援华，英美对于中国抗战的援助，也鉴于中国在远东地位的重要，加强援华。我们在外交上的任务是要努力促进中国和各友邦的友善关系，密切合作，尤其是对于国土毗连，利害关系更为密切的苏联，应该加强邦交，加强合作，使东西反侵略的二大支柱由于邦交的加强，合作的加强，对于反法西斯阵线发生伟大的影响，对于中国民族的彻底解放，也发生更迅速的功效。

但是很不幸的是对苏联的幸灾乐祸的言论，造谣诬蔑苏联的言论，挑拨离间中苏邦交的言论，仍时常出现于官报或准官报。他们认为中国人必须和他们同样保持着反苏的态度，才符合于“国家至上，民族至上”的原则。他们认为只有和他们同样造谣诬蔑苏联，挑拨离间中苏邦交，才是“中国人”，否则便口口声声骂你不是“中国人”，说“你的苏联祖国”！他们企图利用中国人的民族意识和爱国情绪来达到他们在实际上是反苏的阴谋！

在三民主义的国民党所领导下的中国，竟存在着这种畸形的现象，使我们很沉痛地回想到国父中山先生对苏联始终一贯保持着最友好的态度，回想到这位中华民族解放运动的伟大导师，在他的毕生奋斗中，所遗留给我们的最伟大指示之一的联苏政策，回想到他为什么对苏联有着这样的态度，为什么对于我们有着这样伟大的指示。

一　明确坚定的认识

中山先生对苏联的认识最明确、最敏捷、而且最坚定。当一九一七年俄国十月革命成功以后，不久中山先生在上海便打电报去庆祝他们的成功。当时的俄国和现在邱吉尔及罗斯福主张援助的苏联，其处境的艰苦和所受的冤诬，实有天壤之别，那时反苏的人比现在中国的党老爷还要多，造谣诬蔑和破坏的声势还要大，但在中山先生在那个时候就对于苏联不但有了明确的认识，而且有了明确而坚定的认识，并没有被造谣诬蔑及破坏的阴谋动摇了毫末。他明白地指出："有了俄国革命，世界人类便生出一个大希望。"（见《民族主义》第一讲）。当一九二四年列宁逝世的时候，国民党第一次代表大会正在广州举行，中山先生即用大会名义去电哀悼，休会三日，并在广州下令下旗三日志哀。

中山先生是中华民族解放运动的伟大导师，他的同情苏联，他对苏联的最友好的态度，他的联苏政策，都是由于他深切的认识了苏联的立国本质是最同情于弱小民族解放运动的，是努力争取彻底解放中的弱小民族的最可靠的朋友。他说："俄国在欧战的时候，发生革命，打破帝制，现在成了一个新国家，是社会主义的国家，和从前大不相同。"（见同上）从中国民族解放的观点看出，他更进一步指出这"和从前大不相同"之点是："自欧战以后（指第一次世界大战）俄国人自己推翻帝国主义，把帝国主义国家变成新社会主义国家……不但没有侵略各国的野心，并且抑强扶弱，主持公道。”（见同上）他在同一演讲中，再三提及苏联“主张抑强扶弱，压富济贫，是专为世界上伸张公道打不平的”。“提倡被压迫的民族去自决，为世界上被压迫的人打不平”。

中山先生对于这一点的认识非常明确而坚定。他于民国十三年十一月二十三日北上途中，在上海丸轮上答长崎新闻记者关于“广州政府同俄国亲善”的询问，非常坦白而坚决地回答道：“中国革命的目的和俄国相同，俄国革命的目的也是和中国相同。中国和俄国革命都是一条路。所以中国和俄国，不只是亲善，照革命的关系，实在是一家。”中山先生一方面指示我们“要恢复民族地位”，一方面也指示我们“要济弱扶倾”，“对于弱小民族要扶持它”。中国的立国原则也是反侵略的，不要侵略他国的。这“都是一条路”的基础。（中国的民生主义也是要避免资本主义的缺憾，这一点也重要，此处因特重民族的解放与社会主义苏联的联系，故对此点不详论。）

二　诚挚悲壮的遗言

中山先生明确而坚定地认识了苏联立国本质是和弱小民族解放运动有着重大的关系，所以他从中华民族彻底解放的立场，积极主张联苏的政策。他临终时给苏联的那封诚挚悲壮读了令人感动下泪的遗书，对于这一点有着深刻的表现。他劈头就说：“我在此身患不治之症，我的心念，此刻转向于你们，转向于我党及我国的将来。”他一方面说：“此自由共和国大联合（按指苏联），是不朽的列宁遗与被压迫民族的世界之真遗产，帝国主义的难民将借此保卫其自由，从此古代奴役战争偏私为基础之国际制度中谋解放。”他在另一方面说：“我希望国民党在完成其由帝国主义制度解放中国及其他被侵略国之历史的工作中，与你们通力合作。命运使我必须放下未竟之业……我已嘱咐国民党进行民族革命运动之工作，俾中国可免帝国主义加诸中国的半殖民地状况之羁绊。为达到此目的起见，我已命国民党长此继续与你们提携……亲爱的同志！当此与你们诀别之际，我愿表示我热烈的希望，希望不久即将破晓，斯时苏联以良友及盟国而欢迎强盛独立之中国，两国在争取世界被压迫民族自由之大战争中，携手并进以取得胜利。”

这封不朽的伟大遗书，充满着高度热情和诚挚热望的至文，字字血泪，语语精诚，是每一个中华民族的优秀儿女所应永远记取，不能忘怀的。中山先生在这封遗书里诚然对苏联表示了深挚的同情，诚然积极主张亲苏联苏，但是中山先生对苏联的这种态度，不但不是非“中国人”的态度，而且是最爱中国最为伟大的“中国人”的态度。人们无论如何丧心病狂，对于这样的态度，可以大骂“你的祖国苏联”吗？但是某些自居中山先生“信徒”的反苏论客们只须心血来潮，高兴反一下苏，国父遗教在他们是无所谓的。在今日世界反法西斯侵略阵线正在团结起来保卫民主的时候，像中山先生所称颂的“自由共和国大联合”的苏联，反苏的党老爷却把它和纳粹德国等量齐观，在党报的社论栏公开宣告于天下，说“纳粹党的德国和共产党的苏联”都同样地“根本上不配谈这个问题（指民主）”！（见八月二日香港《国民日报》社论）

三　友邦的热烈反应

但是苏联在事实上并不辜负中华民族解放运动的伟大导师中山先生的期望。苏联一方面尽其一切可能保卫社会主义的国家，一方面始终坚守援助为独立而奋斗的被侵略国家的原则。“帮助那些被侵略者所侵略，及为他们自己祖国的独立而奋斗的国家”，被公开列为苏联外交四大原则之一（其他三大原则都是集中于保卫社会主义国家苏联），根据这个原则，日本屡次以订立不侵犯条约引诱苏联，以停止援华为条件，都被苏联坚拒，即后来由日本自愿向苏联低头所订立《日苏中立协定》，也是由日本收回要求苏联停止援华的条件而后才接受的。这种对于中国抗战的一贯的同情和援助，由苏联立国的本质看来，是很自然的。莫洛托夫于一九三九年五月三十一日在苏联最高苏维埃会议第三次大会报告，就曾经公开宣言：“我们对于中国的态度，是无须我来说明的。史太林同志关于援助已成为侵略的牺牲品和为着自己国家的独立而斗争的民族的声明，你们大家都很知道的。这完全适合于中国和它争取民族独立的斗争，在实际上，我们坚决实行这种政策。”莫洛托夫又在一九四〇年八月一日在苏联最高苏维埃第七次全会上报告：“至于说到我们与那为自己的生存而斗争的伟大民族中国的关系，那末，这些关系，是保存着由《中苏互不侵犯协定》中所产生的善邻友谊的性质。”苏联在事实上对于中国抗战的援助，直至今日，还是比任何友邦为多；就是在最近，美苏援华的供给品也还在源源而来（见路透社七月四日重庆电讯）。在友邦对于中国抗战抱着这样的高度热情和巨大援助之下，对于“伟大民族中国”表示热烈的崇高的敬意之下，你居然可以看到党老爷在党报上把苏联的反法西斯自卫战争比做“乌鸦与鹭鸶的大决战”（见七月三日香港《国民日报》），有人起来纠正他，他便大骂别人是“乌鸦的子孙”！反苏的党老爷们对于同情援助中国最热烈的友邦，处处表示侮蔑的态度，却自命是出于“国家至上，民族至上”的立场，开口闭口骂同情苏联的人不是“中国人”，骂同情苏联的人是以苏联为祖国！其实根据上述的最爱国最伟大的“中国人”中山先生关于苏联的指示，他们在实际上都是中山先生的罪人！都是中国的罪人！

我们对于任何对中国抗战、对中华民族解放战争表示同情和援助的友邦（包括英美苏乃至印度等等），我们都衷心感谢。我们对于苏联的深厚的同情，也是由于苏联对我国的深厚的同情。这正是真正的中国人所应有的态度。明白了这一点，反苏的党老爷们要利用中国人的民族意识及爱国情绪来做他们实际上反苏的烟幕，便不能再发生其欺骗的作用了。

为贯彻抗战国策而奋斗

我们刚才热烈而兴奋地纪念“七七”四周年的光荣纪念日，转瞬间又逢到“八·一三”四周年的光荣纪念日。“七七”是中华民族神圣抗战的第一炮，“八·一三”是中华民族全民抗战的第一幕，在中国抗战史上各有其重要而深刻的意义，而抗战最后胜利的争取，尤恃全民在抗战中的力量之发扬光大，就这一点说，“八·一三”是有着更重要而深刻的意义。

我们应该怎样来纪念这个有着更重要而深刻意义的光荣纪念日呢？我们应该配合着国际及国内的新形势，为着贯彻抗战国策而奋斗！

就国际方面说，德苏战争爆发以后，引起了世界反西法斯侵略的高潮。苏联为保卫祖国而战，英美亦为消灭共同敌人而宣布援苏政策，站在反法西斯侵略前哨已经四年的中国人民，其同情也完全在苏联方面。希特勒尚未完全结束英德战争而即悍然东向，以反苏先锋自命，以拯救世界文明为标榜，原来企图以反苏来博得英美同情，来离间反法西斯侵略的阵线，在远东的轴心小伙伴也在处心积虑，以北进来诱惑英美。（被检四字）但是《英苏军事协定》忽然公布，好像晴天霹雳，震动寰宇，东西法西斯的阴谋受到更严重的打击，英美中苏的反法西斯侵略阵线得到进一步的开展。当前世界的大舞台上，在欧洲是以德苏之战为主流，在远东是以中日之战为主流，这二大主流的胜败利钝，不仅关系中苏二国的生死存亡，同时也关系着整个世界的前途，故为全世界注意所集中。由于中国抗战是整个世界反法西斯侵略阵线中的主要的一环，我们应深深感到中国对世界所负责任的重大。由于世界反法西斯侵略阵线的向前发展，继续团结，我们应深深感到中国的抗战不是孤立的，是得道多助的。

为担负这重大的责任，为争取更多的援助，我们应该努力促成世界反法西斯阵线的密切合作，加强之巩固之，尤其要注意成为东西反法西斯两大支柱的中苏二国，是整个反法西斯阵线中的中坚，更须消除隔阂，加强关系。关于这一点，我们对于我国一部分别有用心的顽固分子，在种种烟幕之下，肆其反苏阴谋，破坏中苏的友好关系，必须竭力揭穿。

加强反法西斯阵线中的中坚关系，促进世界反法西斯阵线的团结合作，这是在国际方面，为着贯彻我们的抗战国策而必须努力做去的。

就国内方面说，国际形势对于中国有利的好转，不但不应松懈我们对于加强抗战力量的努力。中国抗战已达四年，在各部门都有相当的进步，而独有政治这一部门在抗战的初期里现一线曙光之后，即不断往下降，（被检七十字）在另一方面，因为号称“民国”的中国，迄今没有监督政府督促政府的民意机关，（被检八十八字）对外宣传表示中国已是民主国，不得不沾沾自喜，一提再提，它的实际效果如何？能否执行监督政府督促政府的实效？这是对中国实况略有常识的人所易于回答的。（被检六十七字）［我们当然拥护真正的国家至上，民族至上，当然爱护国家民族的利益，但是（被检六十七字）我们站在国民的立场，是（被检四字）的。］

就在这样的实际情况之下，民主势力和（被检一百一十多字）如借用国际友人香港英文《南华早报》的说法，便是：一方面为无条件地遵守战争之客观要求者，一方面认为旧秩序的任何改变均为大祸，（被检一百一十多字）正是民主势力日渐扩大的对照。民主势力的日渐扩大，就是贯彻抗战国策最可靠的保障，这一点是值得欣慰的。但是行百里者半九十，民主政治的真正实现，还有待于全国爱国同胞的更大的努力。为民主政治而奋斗，也就是为贯彻抗战国策而奋斗。

民主阵线中的苏联

现在世界上存在着两个阵线：一个是法西斯侵略阵线，包括德意日，一个是反法西斯的民主阵线，以英美苏中为主角。英勇抗战了四年的中国，——世界反法西斯的先锋，它的当前的重要任务，一方面要加强抗战，以尽其世界反法西斯侵略阵线中主要一员的职责，一方面要努力促进世界反法西斯侵略的民主阵线的团结和巩固。因此，中国对于民主阵线中的英美苏各国须加强友好的关系，以建立一密切合作的基础。要达到这个目的，中国对于各友邦，首先要消除隔阂，增加了解。我国一般人对于英美的国情及政制，了解者较多，消除隔阂，增加了解，比较地容易。对于苏联，因为它是比较上属于新的政制，加上反苏的论客们从中挑拨诬陷，竟把“纳粹的德国和共产党的苏联”

等量齐观，混为一谈，说它们都是“独裁”，都“根本上不配谈民主主义”，这样随手一推，把民主阵线的苏联，一推就推到法西斯方面去，在言者别有用心，在听者易受蒙蔽，对于国父中山先生所认为“自由共和国大联合”，“不朽的列宁遗与被压迫民族的世界之真遗产”，“两国（指中苏）在争取世界被压迫民族自由之大战中，携手并进以取得胜利”的友邦，不但不能消除隔阂，增加了解，反而增加隔阂，造成误会，这从真正服膺国父遗教和真正为中国国家民族及世界光明前途着想的观点看去，实在是一件不胜遗憾的事情。在别有用心者，其动机原在混淆黑白，颠倒是非，无理可讲，但是他们以似是而非的谬论，企图借此欺骗国人，离间中苏邦交，却有根据事实，予以纠正的必要。

苏联是否民主，在它有着本身的具体事实存在，毁之不足伤其毫末，誉之不足增其毫末，但是为着增加国人对于苏联的了解，对它作一番客观的研究，从中国的立场看去，却不是没有意义的。

一　独裁与民主

民主政制的意义，最扼要而为政治学权威所一致接受的是美国林肯总统所说的“民有、民治、民享的政府”。在实际上合于这个原则的是民主，在实际上不合于这个原则的便不是民主。民主的实施达到什么程度，要看这个原则在实际上被实现到什么程度。

古时的希腊城市国家，常被历史家称为民主的生产地，但是在实际上，当时真有参加政治的权利的，只是“享受特权的幸福一群”（见《大英百科全书》“民主”一文中语），而在当时真为社会工作的奴隶，对于他们做苦工中所要遵守的法律，并没有关于立法的发言权，他们没有参加政治的权利，也没有任何民权，这民主只是为着“享受特权的幸福的一群”，所谓依政治学者的意见，严格地说，这民主也就不民主了，因为只是对于少数一部分人是民主，而对于其他多数人却是独裁。

由于民主政治的向前发展，有二点值得注意：第一是享受民主权利的人民逐渐扩大加多；第二是要注意为着谁的民主？管着谁的独裁？

例如苏联并不讳言它是无产阶级独裁，在一九一八年第一次苏维埃宪法中就明白规定这个国家的目的是要“建立城市和乡村的工人与贫农联合的独裁，由此废除人对人的剥削，并建立社会主义”。在这里最当注意的是当时俄国城市和农村的工人和贫农，共占俄国全体人口百分之九十五。这就是说，当时这个宪法中所规定的政制，在全体人民百分之九十五是民主，享受民主权利的是在全体人民百分之九十五，所独裁只是对付其余百分之五的不是“工作的人民”的寄生分子。

这还是初期的状态。约自一九三三年以后，资本主义的残余现象在苏联可以说不再有了，那百分之五的少数寄生分子也可以说是几等于零了，于是民主权利的范围更为扩大，旧宪法不适用，一九三六年宣布了新宪法，实行无限制的普选制度，自中央最高会议以至府、区、市、村的会议代表，都由选民依普遍，平等及直接的选举，用秘密投票制选举出来。一切民主权利都由全体人民普遍享受，即以前对极少数人的限制，也根本取消了。

明白了这样的实际内容及发展过程之后，便知道苏联所实行的“无产阶级独裁”和法西斯为着极少数人利益压迫最大多数人民的独裁，在本质上绝对不能混为一谈，否则便是抹煞了真理，故意为法西斯侵略者张目，这种态度绝对不是三民主义国家的国民所应有的，尤其不是今日应与反法西斯侵略的民主阵线中各国密切合作的中国国民所应有的！（这是对苏联实际情形的客观的研究，至于中国当前所应采用的民主却不是“无产阶级的独裁”的民主，见后文。）

二　选举制度与民权保障

美国林肯总统对于民主的定义还只是原则的说法，如果说得更具体些“民主是政府的一种形式，在这里面，人民可用下面两种中任何一法来管理自己：或是由于直接自管，例如希腊小城市国家，或是通过他们的代表”（见《大英百科全书》“民主”一文）。换句话说，民主政治的主要特征是有真正民选的民意机关，及由这民意机关产生的负责的政府（对民意机关负责），由此予民权以切实的（不是仅仅口头上或字面上的）保障。

我们可根据这个原则来研究苏联政制的真相。

关于第一点，即民意机关的选举，苏联是在实际上实行了比较最彻底的制度：（一）各级人民会议代表，自中央的苏联最高会议，各加盟共和国的最高会议，下至府、区、市、村的人民会议代表，都是由选民依普遍、平等及直接的选举权，用秘密投票制选举出来的（见苏联新宪法第一三四条）。（二）代表选举权普遍制，凡苏联公民年达十八岁，不分所属人种及民族、信仰、教育程度、住居年数、社会出身、财产状况及过去活动，都有选举权及被选举权（见同上第一三五条）。（三）代表选举采平等制，每个公民都可投一票，一切公民都依平等基础参加选举（见同上第一三六条）。（四）妇女享有与男子同等的选举权和被选举权（见同上第一三七条）。

关于第二点，即由民意机关产生的负责政府，苏联的中央政府（即苏联人民委员会）系由最高民意机关（苏联最高会议）产生，对这个民意机关负责，在最高会议休会期间，对这个最高会议的主席团负责。各邦政府（即各加盟共和国的人民委员会）由各邦的民意机关（即各加盟共和国最高会议）产生，对这个民意机关负责，在休会期间，对这个会议的主席团负责。

关于第三点，即民权的切实保障，苏联宪法最大的特色是不但对于人民的民主权利有明白的规定，而且注重实际的“保证”。例如苏联公民都有工作权，即有“社会主义的国民经济组织，生产力的逐步增长，经济恐慌可能性的消灭及失业的排除，为之保证”。例如苏联妇女在经济、文化及社会政治生活一切方面，都与男子享有同等权利，即有“妇女与男子有同等工作、劳动报酬、休息、社会保险及教育等权利，国家对母亲及儿童利益的保护，孕妇保留赡养的休假，以及广大的产科医院、托儿所、幼稚园网等，为之保证”。又例如“法律保证苏联公民有：（一）言论自由，（二）出版自由，（三）集会结社自由，（四）游行及示威运动自由”。则有“印刷所、纸张、公共建筑、街道、交通工具，以及其他实现上述权利所必要的物质条件供给劳动者及其组织，为之保证”。（在苏联这种种自由，当然以“适应劳动者的利益并为巩固社会主义制度”为范围，如同我国的抗战期间的一切自由也以贯彻抗战国策为围范，破坏抗战的妥协主降分子是应该除外的。）

我们就实际的情形看，真正民选的民意机关，及由这民意机关产生的负责政府，由此予民权的切实保障。这些民主政治的主要特征，在苏联是具备的。

明白了这种实际情形，便知道硬把苏联列入“根本上不配谈民主主义”，把苏联和内而压迫大多数民众，外而侵略他国的法西斯国家的纳粹德国等量齐观，硬把苏联摈于反法西斯侵略的民主阵线之外，是与事实有着怎样的违反，其荒谬达到怎样的程度！

三　党派与民主

最后还有一点值得略加研究。有人说苏联“不容许一个异党存在”，这是苏联不民主的“铁证”。苏联没有“异党”存在是事实，但是我们如果不忘却苏联是无产阶级专政的民主国家，而又不忘却各个政党是代表各个阶层利益的政治集团，为着它所代表的阶层利益而奋斗的政治结合，便明白在无产阶级专政的苏联只有一党存在是很自然的。苏联公开宣布它是劳动者的民主，我们说它是一种新式的民主则可，说他由全体人民百分之九十五的民主发展到全体人民百分之百的民主则可；若由于只有一个劳动者的政党，便说它是“根本上不配谈民主”，这是合理的吗？

当前世界上有资本主义的民主，有无产阶级的民主，有资产阶级的公开的反民主（纳粹与法西斯）。中国现在不是资产阶级蛮横专政的国家如德意，所以中国不能采用德意式的一党专政（其实德国在“地下”还有异党的存在），也不是无产阶级的民主国如苏联，所以中国不能采用苏联式的一党政治。中国之抗战建国不是由于任何一个阶级所能包办，是要由全国各阶层共同努力达到成功的；各个政党虽各有其所代表的阶层利益，但是争取民族自由及建立真正的共和国家，在各阶层是共同的利益，所以中国的民主政治当然是出于多党的方式，而不是出于任何一党专政的方式。所以蒋委员长于去年十月间和到渝视察的上海《大美晚报》主笔高尔德谈话，因高尔德问起中国的民主究竟是一党的，还是多党的，蒋委员长直率地回答说中国要采用的是多党的民主制（见去年十月十一日香港《大公报》专电）。关于这一点，与英美的多党民主制有其相似之点。但在英美的民主也仍在继续进步中，其目前重心仍偏在资产者方面，中国因经济发展及抗战建国的特殊要求，应由各阶层为着共同的目标而平行前进，自有它的特点。

除了反民主的法西斯之外，各民主国因各有其国情及历史，在制度上可能有出入，而向着民主的大原则，却是有其共同点。中国现在所应采用的民主制虽是近于英美的多党制的民主，但却不能因此就说无产阶级专政的“自由共和国大联合”（国父中山先生语）是和纳粹德国一样地“根本上不配谈民主主义”！

言论自由与民主政治

现在世界的主流，一方面是反法西斯侵略，一方面是保卫民主。无论民主政治在各国所实现的程度上不无差异，甚至有的国家并没有民选的民意机关，政府当然也不必对任何民意机关负责，而却宣言民主早已实行，人民无须再要求的，但是任何人对民主政府不敢再作明目张胆的反对，却是无可否认的事实。可是说来奇怪，虽然没有人对民主政治敢再作明目张胆的反对，而对于民主政治所赖以建立的具体的条件，却仍有人企图加以各个击破，对于言论自由这一个民主政治赖以建立和巩固的具体条件，加以多方的否认和破坏，便是一个最显明的例子。

言论自由和民主政治，在实际上究竟有着什么重要的关系呢？这在当前无疑地是值得大家注意的一个问题。

一　为什么重要?

民主国尽管有不同的典型，但是翻开他们的根本大法——宪法——可以看到对于人民的言论、出版、集会、结社自由，都有规定，从没有看见它们里面有一个遗漏过，而且言论自由总是占着第□位[1]。就中国说，无论是平时的《训政时期约法》，或是战时的《抗战建国纲领》，对于人民的言论、出版、集会、结社自由，也都有规定，也没有一次遗漏过，也是让言论自由占第一位。这不是偶然的，因为言论自由，在各国民主政治运动史上，都占着最重要的地位，都是由争取民主的人民所必须争得的一种最重要的最基本的民主权利。例如被政治学者公认为近代民主政治摇篮的英国，试追溯它的议会的发展史，在最初阶段，主要地只是国王所赖以筹款的工具。直至十八世纪下半叶以后，由于人民的努力争取，国会才成为讨论和批判国家一切政策的机构，允许国会内的人民代表及社会上的一般舆论，对于国事作

[1] 原书此处为空。——编者注

自由的讨论，对于政治上负责者作坦白的批判。自由言论的民主权利得到了相当的保障，然后民主政治才能建立起来，逐渐发展，逐渐巩固。

民主政治是由神权君权官权发展到民权，“政府的努力是基于被治者的同意，受被治者的委托”（美国《独立宣言》中语），所以民主政治最主要的任务是要切实反映最大多数人民的要求，但是如果人民不能充分表现他们的意见，这种反映便很困难。英国政治学者拉斯基教授曾经指出：“一国里面执政者的任务，既是满足他们所统治者的需要，显然要使他们知道这些需要；但是他们知道这些需要，便非人民大众可以自由报告他们的经验不可。例如没有国家关于劳工钟点能有正确的立法，倘若只有商人有自由贡献关于工业状况的意见。我们不能规定一个适当的离婚律，倘若只有得到幸福结婚的人始有机会发表他们对于该项法律条文的意见。”他屡次指出国家不能用恐怖改变人民的意见，否则俄国革命便不能成为事实。

言论自由的保障，在积极方面可以反映人民的要求，在消极方面可以发生继续监督政府督促人民代表的作用。在反民主的官僚独裁者看来，往往一听见人民胆敢发生监督政府的念头，那不是反对政府，便是要另建政治中心！其实人民通过舆论来监督政府（另一途径便是通过民意机关来监督政府，二者是相辅相成的），乃是民主政治中最基本最重要的一个途径，也是极寻常而毫无足怪的事情。其次，即令已有民选的民意机关的存在，已有人民代表执行政权以督促治权，但是在人民方面也不是仅仅投票选举之后，就可以一切不管，他们仍须从种种方面，经常使人民代表能知道顾到人民的公意，注意舆论所反映的民意，把它反映到民意机关里面去。

说到民主国里言论的效力，令人想到国父中山先生在伦敦被难时得救，最主要的因素还是由于言论机关的首先揭露与批评。当时奔走援救中山先生的康德黎先生，虽屡往外交部及警署报告要求，但都比较迟缓，还是由于报告报馆，先由《地球报》揭露，舆论哗然，《泰晤士报》等相继根据国际公法，英国主权，乃至人权［见当时胡特（James G. Wood）为《孙逸仙法律问题》致“泰晤士”函］，纷纷提出严厉的批评，英外部乃不得不作迅速的破案，中山先生才由公使馆中释放出来。

反民主的论客们，往往故作轻视民间公开言论的口吻，他们最喜欢说你有什么意见，不妨直接写信给有关的当局，不必公开发表言论。依他们的意见，民主国家里只须多多增设邮政局，言论机关都可以关门大吉！他们根本不认识或不愿意认识民间公开言论在民主国中所占的重要性和可能发生的伟大的作用。

二　民意与官意

言论机关有反映民意的，也有反映官意的。就一般的情形说来，民意的言论机关和官意的言论机关，同在法律保障之下，同享言论自由的民主权利。在反民主和假民主的国家里，官意的言论机关所享受的言论自由的保障较民意的言论机关为大，甚至官意占着绝对的便利，民意常在摧残压迫之下挣扎着。

民意的言论机关，大概可分为民间团体的机关报或机关刊物，和民间个人经营的报纸或刊物。无论是民间团体办的，或是民间个人办的，就言论的任务说，都应该注重反映民意。它在社会上所能发生的影响的大小，和它所能反映的民意的程度成比例。所以民意的言论机关可能由少数人办，或由少数人主持，但是它必须能反映民意，才能取得多数人的同情和信仰，才能发生舆论的力量，否则尽管有着言论机关的躯壳，已失去了言论机关的精神。当然，言论机关除了反映民意之外，还负有指导民意的责任，但是所谓指导，绝不是凭着主观的成见或幻想，仍须根据民众的潜在的利益和愿望，不过以远大的眼光和深刻的认识，对于民众的潜在的利益和愿望，作先知先觉的指明或阐发而已。归根到底，指导民意仍逃不出反映民意的范畴。

官意的言论机关，不一定都是要不得的。“政府的努力是基于被治者的同意，受被治者的委托”，愈民主的国家，官意也应该愈接近民意，至少应该和民意的言论机关在同样的言论自由保障之下，光明磊落地各以言论充分发挥各人的意见，呈现于一般人民之前，听人民的公判。官意如果确能集合人民的公意，则经过讨论或笔战的过程，不但无损官意，反而可使人民对官意有更彻底的了解，有更坚强的信念。在另一方面，官意如果不能符合人民的公意，那末经过民间舆论的纠正，却应该虚心考虑，力谋改善。当然如果官意能完全根据民意，可能不必经过讨论或笔战，即与民意打成一片，发生完全一致的现象。这样的一致，才是真正的一致，不是用压迫或恐怖造成的表面上的一致。

但是这种现象只有在民主政治实现之下，才有可能。因为只有在民主政治实现之下，人民的言论自由才能得到充分的保障，民意的言论机关才能充分反映民意，和官意的言论机关充分交换意见，充分检讨，得到关于真理的结论。在反民主的情况之下，官权高于一切，民权徒拥虚名，官意的言论机关得到充分的言论自由，（被检三十一个字）在尚有民主流风余韵的海外地方，在民意的言论机关也许还有根据事实略明真相的机会，在绝对只有官意可得自由的地方，（被检十五个字）？（这当然是指一时的情形，办法不是没有的，就是要更努力推动民主的政治的实现，因为实现了民主政治，人民的言论自由才能获得充分的保障。）

（第三节数十行全部被检）

实现民主的普遍要求

中国当前政治上最大的特征，是民主和反民主的日趋激烈的斗争。很明显的事实是：主张实现民主政治者，其态度光明磊落，其言论是理直气壮，反民主者因为懔懔畏惧于国内人心所向与世界大势所趋，不敢明目张胆反对民主，只得转湾抹角，企图暗伤民主政治的发展。他们费尽心血，绞尽脑浆，制造反民主的种种烟幕，发出妨害民主的种种论调（参看本报七月十九日所登拙作《反民主的几种烟幕》及八月二日所登拙作《揭穿妨害民主的几种论调》），同时他们对于主张实现民主政治者加以种种的诬蔑与毁谤，以为这样可以增加他们反民主烟幕的作用，可以增加他们妨害民主论调的欺骗。

但是公道自在人心，真理终难磨灭，反民主的种种烟幕和妨害民主的种种论调，司马昭之心，路人皆见，并不因为对于主张实现民主政治者加以种种诬蔑毁谤而发生其不可思议的功效，反而使人感觉到他们心理和手段的卑鄙龌龊，于是他们不得不掩着狐狸尾巴，“采取客观的态度”，“发现真理”；“发现”了什么“真理”呢？这“真理”是：中国的民主政治运动只是“一切破产农民和无业的过剩人口”“连所有城市之无业及生活不安定的知识分子”的“分裂运动”，是“十足的无政府主义者和分裂主义者”！这样看来，民主政治运动只是“失业”者的捣乱问题，加上“无政府主义”和“分裂主义”！“失业”还只是活该饿死的问题，而且限于“无业的农民”和“无业的知识分子”，而加上“无政府”和“分裂”，罪状就要大了。千言万语，结论只是一点，就是民主政治是根本不该要的！

但是“真理”是应该经得起事实的证明。民主政治运动真的是“无业的过剩人口”捣的乱吗？首先请看全国各阶层广大人民对于实现民主政治的要求。

一　广大人民

关于这方面，我只想很扼要地举出三个事实。

第一件事实是在野的各抗日党派对于实现民主政治的一致要求。任何政党都是为着它所代表的阶层而努力奋斗，但是在争取民族自由及建立真正的共和国家，这在各阶层是共同利益，是整个民族的利益和各阶层的利益配合在一起，因此在实际上代表全国各阶层的各抗日党派，对于贯彻抗战国策及实现民主政治都有着一致的愿望。(本文是专为民主政治而写的，故偏重在后一点。)这在在野的各抗日党派平日所公开发表的言论中，可以看得清楚，我在这里还可以举出一个亲历的事实：在去年年底，美国名记者史特朗女士到我国陪都观察，她要知道在野的各抗日党派对于国事的意见，于是有一天各抗日党派代表聚拢来为她举行了一个简单的茶话会。出席者除来宾史特朗女士外，有中共的周恩来先生，青年党的左舜生先生，国社党的张君劢先生，第三党的章伯钧先生，职教派的黄炎培先生，村治派的梁漱溟先生，救国会派的沈钧儒先生，陶行知先生和我自己，由我担任翻译。全部分的谈话纪录，非本文范围所及，我在这里所要郑重指出的是：上述各党派的代表人，除一致积极主张抗战和巩固团结之外，便是一致积极主张实现民主，他们而且一致认为实现民主是坚持抗战和巩固团结的中心工作。（即就国共问题而论，他们也是一致主张通过民主政治的实现而得到合理的解决，反对用内战方式来解决，因为这是不利于对日抗战的。）这是我亲耳听到的在野的各抗日党派对于实现民主政治的一致的要求。我到港以后，看到立宪党的通电及东北救国同志会的公开言论（见《时代批评》），知道他们对于实现民主政治也有着同样一致的要求。这可以看到全国各阶层广大人民对于实现民主政治的要求。

第二件事是各抗日党派（连执政的国民党也包括在内）在第一届国民参政会中对于要求实施宪政的一致的要求。实施宪政，无疑地是实现民主政治的最主要的部分。他们对于要求实施宪政的议案达七件之多，经过全会的特别审查会的慎重讨论，决议治本治标二项办法。治本办法为：（一）请政府明令定期召集国民大会，制定宪法，实行宪政。（二）由议长指定参政员若干人组织国民参政会宪政期成会，协助政府促成宪政。治标办法为：（一）请政府明令宣布，全国人民，除汉奸外，在法律上其政治地位一律平等。（二）为应战时需要，政府行政机构，应加充实并改进，借以集中全国各方人才，从事抗战建国工作，争取最后胜利。这件事我是始终亲自参加的，所以深悉其中的经过。这个决议虽在事实上并未切实执行，（现在的民主政治运动，主要地也是要督促这个决议要在事实上实行起来，）但至少可以表示不仅在野的各抗日党派，即执政的国民党也在内，对于实现民主政治都有着一致的要求。（被检十五个字）

第三件事是在宪政运动中表现了一般人民对于实现民主政治的热烈要求。（被检二十一个字）在第一届国民参政会第四次大会通过了实施宪政议案之后，陪都首先发起宪政座谈会，在银行公会楼上会议厅举行，热烈讨论，踊跃参加，挤拥得水泄不通，盛极一时。由于宪政座谈会中到会者屡次的热烈要求，又有筹备宪政促进会的发起，由座谈会中公推八十五个筹备员，其中成分包括国民党员，其他党派，及无党派的热心宪政运动的社会人士。同时在重庆有三十几个妇女团体发起的妇女宪政座谈会，有青年各团体代表二十五人发起的青年宪政座谈会，此外成都、桂林、上海、延安各处都有热烈的响应，纷纷发起宪政座谈会及宪政促进会一类的组织。虽大部分（被检六个字）而流产或无疾而终，得不到更大的发展，但人民拥护宪政运动的热烈，也表示了他们对实现民主政治要求的迫切。

就上述事实看来，实现民主政治实为全国各阶层广大人民的普遍的要求，即就抗日各党派而论，不仅包括有中共，其他党派，也包括有国民党的分子。反民主的论客们却不顾这种事实，硬把民主政治运动归于“无业的过剩人口”，甚至加上“无政府”和“分裂”的罪名！他们无视全国各阶层广大人民对于实现民主政治的要求，遇着有人提出实现民主政治的主张，一概加上“共产党”的头衔，硬说民主政治运动只是为着“延安政府及其军队的集团”。他们的动机说穿了却也十分简单，即是企图由此把全国广大人民所要求的民主，缩小范围到一个小角落里去，分散你对于民主政治运动的视线，甚至把它视为洪水猛兽，达到他们的反民主的目的。

二　实际问题

各抗日党派及全国各阶层广大人民对于实现民主政

治所以有一致的要求，不是偶然的，是由于中国当前最重要的几个实际问题要得到合理而切实的解决，非努力促进民主政治的实现不可。我们目前最重要的事情当然是争取抗战最后胜利的加速到来，要达到这个目的，与军事相配合的最重要的几个实际问题必须得到合理而切实的解决：第一是团结问题，第二是政治问题，第三是经济问题。

就团结问题说，中国不是一个阶级专政的国家，而是全国各阶层合作努力的国家，在事实上有着各党派的存在，（被检二十五个字）常常引起海内外爱国同胞的忧虑。这是需要解决的一个实际问题。这个问题能得到和平的合理的解决，国家才能达到真正的统一，（被检十一字）要使这个问题得到和平的合理解决，必须通过民主政治的真正实现。在民主政治真正实现的情况之下，国事以民意为依归，而不是以党意做出发点，全国统一于民主政治而不是"统一"于一党专政。所以我们希望现有的政治中心民主化，正所以促进真正的统一，只有反民主者才是"分裂运动"。国民党的三中全会宣言曾经指出："对内则和平统一……盖必统一，然后可以建设现代国家，当救亡图存之大任；必和平，人人皆知精诚团结，共赴国难，以驯致于真正之统一。”不以内战的方式来作党争，而以和平的方法来达到真正之统一，除了真正实现民主政治，还有他途吗？

次及政治问题，大家都想到铲除贪污，集中人材，改善充实政治机构等等，（被检七十一字）。国民参政会《实施宪政决议案》所定治标办法二条，其用意就是针对这种情形而发，但是国民参政会的组织和职权都够不上真正的民意机关，所以只能决而不行。最近报载第二届国民参政会又建议政府严令各级官吏尽责任，沉痛指出："全国上下大小官吏，几皆成为无责任者，凡各设施皆成为计划宣传，而无结果。”“派员考察，则循例报告了事，即有挟同隐匿瞻循敷衍，亦不负任何责任也。”该决议主张“综窍名实，信赏必罚”，已由行政院通饬各级机关遵照实行，（被检十九字）。

最后谈到经济问题，是抗战期间最须迅速克服的一种困难，尤其是物价和货币问题，与大众人民及士兵生活有着密切的关系。但是克服经济困难不是没有办法，一付诸实行，便完全是另一回事了！至于利用抗战时期，直接间接凭借政治力量而大发其国难财者，马寅初先生早已坦白沉痛指出，因此被“派赴前方调查经济”。经济问题归根到底，还是政治问题，这已成为公认的事实。美国派来中国工作的经济专家福克斯在公开演词中郑重指出整顿经济与政治改革的联系，是值得我们深思的。

抗战期间实际问题需要合理而切实的解决，尤其是关于团结、政治和经济的问题，增加了对于实现民主政治的迫切要求。这几个重要的实际问题的解决，都是和加强整个抗战力量有关，都是和贯彻整个抗战国策有关，都是和整个建国的基础有关，也就是和整个国家民族有关，和全国各阶层人民的利益有关，由此也可以看出实现民主政治的重要性。但是反民主的论客们却把整个国家民族的利益抛之九霄云外，硬诬陷民主政治运动是什么“无业的过剩人口”的“无政府主义”和“分裂主义”，认为“这是我们国民最后应当认识的”“真理”！

但是“我们国民最后应当认识的”真理却是民主政治是国父遗教中最重要的部分，我们必须努力求其实现，他曾经诏示我们：“（被检十七字）必须先要有民治，然后才能够真是民有，真是民享。”全国各阶层广大人民所要求的，解决当前实际问题所要求的民主政治，和“无政府主义”不相干，和“分裂主义”不相干，和什么“无业的过剩人口”也不相干！

一党专政与以党治国

一 本质不同的两种专政

现在想起来有些像梦境了！时间是在前年（民国二十八年）十一月光景，正在第一届国民参政会第四次大会通过实行宪政的决议案以后的几个月内，那时还允许各界举行什么宪政座谈会，还允许在“自由中国”公开研究民主政治问题。在重庆郊外沙坪坝的中央大学的青年学生也举行了一次宪政座谈会，由该校学生会主持，请了两个人演讲，一个是中宣部副部长潘公展先生，还有一个是现在仍在呼吁民主、使反民主的先生们感觉头痛的我。潘先生对我再三谦让之后，先登台演讲，在他讲到一个地方，忽然抖擞精神，声色俱厉，大声疾呼的问道：“现在有人说苏联是最民主的国家，试问苏联是不是只有着一个政党？”苏联现在只有一个政党诚然是事实，但是我们却不能从此得到结论，说凡是民主的国家，都只有一个政党的可能。

无产阶级专政的民主国家如苏联，是由一个无产阶级的政党，在初期即代表全俄人口百分之九十五的工农大众取得政权，经过二十年的积极奋斗和建设，把原来百分之五的特权阶级也消灭或改造了，成为没有阶级的社会，也可以说全国中只有一个工作者的阶级。政党只是代表其所代表的阶级，那么苏联现在只有一个党，是与苏联全国只有一个工作者的阶级的这一事实适合的。

在我们当前的世界上所看到的实际的情形，除了无产阶级专政的民主国家行一党政治外，还有资产阶级蛮横专政的法西斯国家如德意，是行一党专政的。但是在本质上，这两种“一”，有着基本的差异。

第一，无产阶级专政的民主国家是走着民主的道路，例如苏联，是由初期全体人口百分之九十五的民主发展到全体人口百分之一百的民主，而资产阶级蛮横专政的法西斯国家如德意，却是走着专制的道路，为着极少数的独占资产阶级的利益，用最残酷的手段，压迫剥削最大多数的人民（关于这一点，英国拉斯基教授在他所著的《近代国家中的自由》一书里，曾有明确的阐发）。第二，无产阶级专政的民主国家，由于特权阶级的消灭，由于全国只有一个工作者阶级的存在，所以它的一党政治的“一”是真正的“一”，因为在事实上只需要一个党就可以代表全国中唯一的工作者阶级的利益。而资产阶级蛮横专政的法西斯国家，在实际上不能不依赖无产阶级而存在，在实际上并不能使全国都变成一个资产阶级，所以它的一党专政的“一”只是表面上的现象，在实际上，暗中仍有其他党派的存在，例如在德国，在意大利，暗中仍有共产党及其他党派的存在，不过都在极秘密的情况下活动罢了。因为在实际上既有着各阶级各阶层的存在，必然有着代表各阶级各阶层利益的各党派的存在，而不可能勉强“一”起来的。苏联一党政治的“一”，是由全国最大多数人民（初期占人口百分之九十五，后来占全人口百分之一百）所要求，是为着全国最多数人民的利益而自然存在的。德意一党专政的“一”，却是为着全国中最少数特权阶级的利益，用暴力压迫最大多数人民，奴役最大多数人民而勉强存在的。

无产阶级专政的民主国家和资产阶级蛮横专政的法西斯国家，虽在表面上看来同是“一党制”，而在本质上却有着这样大的差异。

二　维希的“一党”迷梦

天下事无奇不有，投降纳粹的贝当居然也梦想“一党专政”！贝当于八月三十一日在参战军人同志会发表演说，宣布法国将采一党制，组织唯一的政党，说他以前曾经组织唯一的政党，即“国家统一运动”，但成立不久，沦陷区即组织“民众集结运动”相对抗，使他所发起的一党运动未能成功，现在他要将参战军人同志会作为法国的唯一的政党，以代替“国家统一运动”！他把法国奉送给纳粹，使法国人做了亡国奴，不自知羞愧，却觍然把什么“国家统一运动”和“一党运动”并为一谈，其实他的所谓“一党运动”，其作用不外是对内更残酷地压迫法国人民，对外更无耻地为敌作伥罢了！如其不信，有事实为证：

（一）反对贝当投降的已有四万人被捕。据合众社八月二十一日维希电讯，巴黎两次搜查的结果，有一万人被称为犹太人被捕，搜查者为德法两国的警察。据估计，在占领区和非占领区内，反对贝当投降者有四万人都已被捕。此次搜查逾五小时，一次拘捕四千人，又一次拘捕六千，被拘捕的大多数人都被送至德兰赛的集中营。（二）施用酷刑残害反德的爱国分子，诬爱国分子为共产党及无政府的罪名。据路透社八月二十三日维希电讯，维希警察于二十二日晚，在巴黎的极乐宫附近，搜查拘捕一千人。维希二十三日官报公布一严厉新法，规定人民犯有“共产”与“无政府”活动的罪名者，将处以监禁与罚作苦工，在某种情形下，处以死罪。瑞士的《巴列国民新闻报》评论，指出“凡反对者均称为共产党乃一旧把戏。目前在法国沦陷区内，凡赞成国民抵抗者，都被称为共产党”。该报并从德国的公告推定，凡在法警察拘留中的人民，都被德国当局认为质人，遇任何破坏行动发生，则这些质人将被枪毙。该报又说：“准备与德国合作者只限于少数上层，法国人民则拒绝合作。”（三）对爱国分子施用断头的酷刑。据路透社八月二十八日伦敦电讯，当晨巴黎山特监狱的空场上有三人被施以断头酷刑，系根据新颁“恐怖”法规而执行者，德人与法国叛徒欲借该法规以遏止法国的骚乱。

妥协投降的贝当政府无耻地帮助纳粹逮捕残杀爱国的法国人民，无耻地帮助纳粹镇压法国人民的爱国运动，他们自己愿做奴隶，还要强迫法国的爱国人民也永沦奴籍。这是法国爱国人民所必然要奋起反抗的。巴黎某周刊于八月二十一日发表一项巨大反维希的“阴谋”，据说他们借工艺家及财政部高级官员神秘的协会为名，代表一秘密团体，“阴谋”推翻妥协投降的贝当政府。该团体定名“共治”，与无政府主义适形相反（按贝当政府对法国爱国分子除随意戴上红帽子外，并诬为无政府主义者），乃集合宗教、文化、种族及政治各方人士，组织而成（见合众社八月二十一日维希电讯）。法国近又发生反德行动，军队奉命出发镇压。法国的反德行动，大都发生于各军需品制造厂，尤其在圣伊丁尼地方，该处工人举行抗议示威巡行，不但反对代德军制造武器，而且厌恶达兰及憎恨他与德国合作的政策（见路透社本月二十六日里斯本电讯）。法国人民反德示威，暗杀德军官，大批拘捕数千名所谓共产党，法政府设立特别法庭，德驻军司令则表示如再遇有破坏行动时，将以格杀质人相威胁（见路透社八月二十七日伦敦电讯）。

这种种事实都表示法国爱国的人民及进步分子都在极黑暗极惨酷的环境中努力奋斗，妥协投降的贝当政府不得不用更残酷的手段来压迫镇压，来为他们的主子们献媚，于是随着大作其“一党专政”的迷梦，企图由此可以加强对于法国人民的压迫镇压！

三 “以党义治国”的中国

中国在实际上不是无产阶级专政的民主国家如苏联，也不是资产阶级蛮横专政的国家如德意，更不是妥协投降的维希所能比拟，所以中国不适用苏联式的一党政治，也不适用德意式的一党专政，更不需要贝当所梦想的加强压迫人民以媚敌的“一党专政”。

三民主义的中国，根据国父中山先生的遗教，是采用所谓“以党治国”，但是这四个字最容易引起误解，使有些人一想就想到“一党专政”，大呼其“一个党”！

其实中山先生所谓“以党治国”，绝对不是上面所述的任何一种的“一党制”，而是“以党义治国”。这可以用中山先生自己说的话来说明。他在民国十二年十月对中国国民党恳亲大会训词里就曾经这样说过：“以党治国这一说是什么意思呢？是不是所有的党员都要做官，才算是治国呢？……那种思想便是大错。……好像诸君在家内，要有好菜吃，便要专请一个好厨子。要做好衣穿，便要专请一个好裁缝。要造好屋住，便要专请一个好建筑工程师。这些厨子、裁缝和建筑工程师的任务，在诸君自己家内的人，不能够说都可以做得到。诸君要请厨子、裁缝和建筑工程师，家内的人便不能一定要反对。……以党治国，并不是用本党的党员治国，是用本党的党义治国，诸君要辨别得很清楚。”这可见中山先生所特别注重的是主义的实行，是要全国各方面都来共同努力使主义实行，而不是主张只由“一个党”来包办一切的。

还有一件事也可以作为明证。中山先生于民国十三年十一月十日发表的《北上宣言》，声称“本党所主张之国民会议实现之后，本党将第一次全国代表大会宣言所列之政纲，提出于国民会议，期得国民彻底的明了与赞助”。可见中山先生临终以前还有着要通过国民会议的“赞助”以实行主义的渴望。(《北上宣言》并说明上述政纲为“以民族、民权、民生三主义为基本，而因应时势列举救济办法”。) 但是依中山先生的主张，这国民会议的组织成分却不是一党包办的，而是由各种团体的代表组织的，其中就包括有各政党的代表。并主张“于会议以前，所有各省政治犯，完全赦免，并保障各地方之团体及人民有选举之自由，有提出议案及宣传讨论之自由”(均见《北上宣言》)。

“以党治国”不是“一党专政”，而是“以党义治国”；不是一党包办，而是由全国各党派（当然是抗日的）依民主方式来共同努力，使中国成为三民主义的民主国家。这一点的明确认识，对于中国政治的推进是非常重要的。有一位国民党籍的参政员（恕我未便宣布姓名）征得蒋委员长的准许，参加高级训练班受训，他亲口告诉我，有一天在小组中提出这样的一个问题，即实行三民主义，只是国民党一党干去呢？还是需要全国各党派来共同努力（大意如此）？那位小组组长大不高兴，勉强敷衍了几句，在背后大说他的思想有了毛病，并打听他是谁介绍来的！（是总裁介绍来的！）可见这一点的明确认识，虽依中山先生的遗教，应该是不成问题的，但是在实际政治上却有加以检讨的必要。

中苏文化的交流

一　几个要点

中苏文化协会香港分会于本月十日，在总会会长孙哲生先生倡导之下，宣告成立了。这是在“促进中苏两国文化沟通”，及“敦睦两国邦交”（该会组织大纲第一条中语）上很值得注意的一件事，尤其是孙先生在这个会上的致辞中很切实地指示了几个要点，应该能够一扫某些人的反苏的烟幕，粉碎他们对于努力“敦睦两国邦交”者的诬蔑毁谤。

孙先生所指示的几个要点，扼要归纳起来是：（一）苏联对中国抗战援助最多，是中国的忠实的患难朋友。关于这一点，他举了二个事实。第一是：在“七七”事变发生后的第三日，即与中国订立互不侵犯协定，协定中尚有一部分在当时未公布的，即援助中国一万万元国币的借款（后来用过了额，改为五千万元美金），不待正式签订，即先在事实上迅速开始援助。至一九三八年六七月间借第二次的五千万元美金，才附带将第一次借款补行签订。一九三九年三四月间又作第三次借款一万万五千万元美金，进行极为顺利，在二小时内即办妥，苏联当局表示中国要多少即多少，苏联是单纯出于援助中国的诚意，不是要做军火生意，也不是要借此牟利。（按此事系孙先生亲自赴莫斯科办理，故言之尤为亲切。）第二是：苏联和中国国土毗连有数千里之长，如有意侵略中国，在日本侵略中国的时候，正是最好的机会，但苏联不但没有利用机会侵略中国，而且积极援助中国。

（二）英国以前对苏联还不无芥蒂，现在苏联成为英国的同盟国，英美都对苏联作善意的宣传，这不是它们立于苏联的立场，而是立于它们自己的立场，不能说是为苏联宣传。我们使国人了解苏联，也是立于中国的立场，而不是为苏联宣传。

（三）苏联现在不仅是中国的友邦，同时也是英国的盟国，中苏邦交的增进不但不妨碍中英关系，而且能促进中英美苏的关系。

以上所述，是孙先生所指示的最重要的三点，而这三点对于目前中国对苏关系及认识，都有着很重要的作用。第一，中国要促进中苏两国的敦睦邦交，至少是要认清苏联是中国的忠实的朋友，而不是中国的敌人，也不是中国敌人的帮凶，好像反苏联的论客们所千方百计，要在隐隐中描成的那个样子。第二，我国要促进中苏两国的敦睦邦交，要使国人多多了解苏联是中国的忠实朋友，要提倡中国和苏联有更密切的合作，这不但不违反中国的国家民族的利益，而且正是为着国家民族的利益。但是反苏的论客们却加以种种诬蔑毁谤，硬把有益于中国抗战国策的联苏主张，诬为“苏联至上”，动辄说你的祖国是苏联而不是中国，好像只有反苏才是合于“国家至上，民族至上”的原则似的！第三，不但由于中国国家民族的立场上看去，中国应该加紧联苏，即就德苏战争爆发后的整个国际形势看来，反侵略阵营中的英美苏都在打成一片，中国也应该加紧联苏，由此促进中英美苏反侵略整个阵营的团结与巩固，不但加强中国本身反侵略的力量，而且加强整个世界反侵略的力量。

二　认清敌友

明白了苏联是中国的忠实的患难朋友；明白了中苏邦交的敦睦，中苏合作的加强，是能促进中国国家民族的利益；明白了最近国际形势的激变，中苏的更密切的合作，不但于中国有利，而且于世界反侵略整个阵营有利：然后我们才更能认识中苏文化的交流在今日尤有其特殊重要的意义。

关于如何沟通中苏文化的具体方案或计划，中苏文化协会诸先生必有良谋筹划，成竹在胸，不必记者多所置喙，且亦非本文篇幅所许，但记者在这里愿指出二点，以供参考。这二点简单地说来，是“知己知彼”；再说得明白些，便是要努力使中国的一般人正确地认识苏联，同时要努力使苏联的一般人正确地认识中国。

首先我们要明白苏联国家的本质不是一个反民主的国家，也不是一个侵略的国家。这一点似乎是生在现代的人所应有的常识，但是由于反苏的论客们的时常放出烟幕，在一般人面前，常把这种常识弄得模模糊糊。有些人对内反民主，对外反苏，一鼻孔出气，于是事有凑巧，机会难再，常把反民主和反苏连贯起来，打成一片，希望由此达到一箭双雕的结果。他们在应该负起指导社会的言论岗位上，公开宣言，“纳粹党的德国和共产党的苏联”，“根本上不配谈民主主义”。三民主义的中国国民，至少在常识上应该知道最反动的法西斯主义和旨在消除人类不平等生活的社会主义，其间有着很大的差异，但是竟有人在公开希望中国一般人把“纳粹党的德国”和“共产党的苏联”等量齐观！这和所谓“促进中苏两国文化之沟通”，及“敦睦两国邦交”，不是相去十万八千里吗？（关于这方面，本年七月二十二日的 *New Masses* 中有一文“*A Study in Opposites: The USSR and the Facist Countries*”，很有参考的价值）

苏联对于中国抗战的热诚援助，始终一贯，孙先生已说得非常清楚；苏联屡次拒绝日本要求它停止援华，也是公开的事实。但是反苏的论客们却仍要歪曲事实，兴风作浪。例如苏联在“苏日协定”的宣言中，曾用到了“满洲国”的字样，有人认为有承认“满洲国”的嫌疑，但在该约签订三日后，莫洛托夫除对中国驻苏大使邵力子保证并不因该约而停止对华的援助外，并郑重声明，共同宣言中采用“满洲国”一字，由于“缺乏适当代替名词”，并郑重指出对该字曾加括弧，证明苏联并不承认“满洲国”的伪政权。（该约签订于今年四月十三日，上述声明系根据上海英文《字林西报》及《大陆》报所载路透社重庆四月十八日专电，谓系路透社访员所探得的确息。）其实“满洲国”这个名词，在英美各国报纸杂志上被用做地区的名词，已极普遍，而且并不加以括弧，我们尽管对于这个名词有厌恶的理由，但我们并不因此硬说英美各友邦已承认了“满洲国”伪政权，是显然的事实。据《论苏日中立协定》一书著者公言先生的指出，在一九三五年的《何梅协定》中就曾使用过“满洲国”这个名词，而这个名词又曾在一九三八年十月六日美国驻日大使致日照会中用到过十一次，一九三九年一月十四日英国驻日大使致日照会中也用到过三次。公言先生的结论是：“假如中国和英美此举不能算是承认‘满洲国’的话，为什么苏联在共同宣言中，用了一个‘满洲国’，就算是承认了伪满，要大兴反苏的宣传呢？”

我们在这里绝对不是要为苏联辩护，事实胜于雄辩，原来也用不着辩护，我们在这里所要指出的是：我们对于同情并援助中国抗战的英美各友邦，固然要尽量保持友好的关系，我们对于同情并援助中国抗战的苏联，必要尽量保持友好的关系；在友邦仍然同情并援助中国抗战的情况之下，我们固反对反美的宣传，也反对反苏的宣传，这完全是站在国家民族真正利益的立场。但是反苏的论客们却不顾这些，尽管苏联对中国正式作了上述声明，尽管事实完全明了之后，直至最近你还可以在他们的报上看到“承认伪满的苏联”，或“正义的报攻击承认伪满”云云！他们简直是要使中国一般人把苏联看做和承认“满洲国”的德意一样，把孙先生所正确指示我们的中国最忠实的患难朋友苏联，硬推在我们的敌人或敌人的帮凶之列！这和“促进中苏两国文化之沟通”，及“敦睦两国邦交”，不是相去十万八千里吗？

我们如果真要努力于中苏文化的交流——首先要使一般人认清苏联是中国的友人，不是中国的敌人，也不是中国敌人的帮凶。

三　自己努力

中苏文化的交流，当然不仅是要使中国一般人正确地认识苏联，同时也要使苏联的一般人正确地认识中国。

中苏文化协会香港分会成立的那天，会长颜惠庆先生继孙先生之后起而致辞，说据他本人二次赴苏的亲见，苏联大学中对于中国文化的研究，素来重视。孙先生曾在国民参政会留渝同人谈话中详述他数次在苏联亲眼看到苏联对中国抗战的热烈态度，他说你在苏联全国报纸杂志里面，找不出一句不利于中国的话（参看本报七月十二日拙作《对苏联的态度问题》一文）。他们显然把中国看做他们的最好的友人，由此也表现了他们对于中国的好感，但是我们当然要继续努力，使他们对于中国有更进一步的认识。

关于这方面，当然有许多工作可做，我们相信中苏文化协会诸先生必能善尽他们的责任，我在这里不是起工作方案，用不着噜苏，我所担忧的是某些人一方面企图把苏联从民主阵线中拉出来，推到“纳粹党的德国”

的泥坑里去，说它“根本上不配民主主义”，在另一方面却对本国时刻不断地放出反民主的种种谬论，使期望中国殷切的友邦人士误认中国是要走上反民主的道路，那种印象未免太糟糕了！其实中国依国父中山先生的遗教，“中国非民主不可”（见中山先生遗著:《中国革命史》)，苏联的伟大领导者列宁也曾经赞叹中山先生的主义是“充满着奋斗的真正的民主主义”，所以依理看来，法西斯作风是不会出现于中国的；中国是一个应该实现民主政治的国家，是不成问题的。我们要使友邦人士对中国有正确的认识，必须努力实现中山先生的“充满着奋斗的真正的民主主义”；必须在事实上使友邦人士相信法西斯作风在中国是立不住脚的；必须使友邦人士相信，这次世界反法西斯侵略战争是为保卫民主而战，中国至少是向着民主的大道上前进，而没有任何法西斯作风存在其间。这在四万万五千万的中国人民所殷切盼望的中国，也是我们希望能使友邦认识到的中国。

也许有人觉得，正是因为这个缘故，所以有人对友邦广播，公开宣言中国已经“成为真正民主政治之国家，人民亦得享受民主政治之生活”。这当然是我们所最希望的事情！但是中国究竟不像闷在葫芦里的什么药，在事实上是要予天下以共见的，所以我们如果真要给与友邦以良好印象，最重要的还是事实上的努力，使友邦在事实上而不仅在广播宣言上认识中国“成为真正民主政治之国家，人民亦得享受民主政治之生活”。

使中国一般人民对苏联有正确的认识，也使苏联一般人民对中国有正确的认识，这是中苏文化交流的基本任务。

法西斯作风的罪恶

英国首相邱吉尔于“海上秘密会议”之后，曾于八月二十四日晚的广播演辞中痛斥法西斯的罪恶，他说：“现时的恶势力，为害之烈，远胜于洪水猛兽，其毒焰已遍于欧洲全部以及亚洲的大部分，我们的聚晤（按指罗邱会谈），可谓象征结集全世界的正义势力，与此种恶势力搏斗。”他又进而揭穿法西斯蒂的所谓“新秩序”，在实际上只是“所谓优越民族的统治，欲借以结束民主政治，议会制度，一般男女的基本自由和适当生活，并结束各民族的历史的权利，而易以普鲁士的铁腕统治，德国军人的鹅步，并以集中营与政治警察的方法，加诸劳工阶级，使他们严守纪律”。这很正确地说明了反法西斯侵略战争的任务是要消灭法西斯的恶势力，使它无法实现奴役世界人类的迷梦。但是所谓消灭法西斯的恶势力，不仅是使它无法实现其奴役世界人类的迷梦，尤其使它不能以法西斯的残酷的作风来毒害全世界人类，所以一方面是反法西斯侵略，同时也是保卫民主。不久以前到过中国的美总统的特使寇里说过几句很有意思的话，他说："倘若只是帮助一个法西斯国家打倒另一个法西斯国家，那于世界是无益的。"因此，我们必须深切地认识这次世界反法西斯侵略的战争，其价值的伟大是在消灭法西斯的恶势力，是在消灭法西斯的残酷的作风，使全世界人类不再遭到这种残酷作风的毒害。有些人只愿提及反侵略，而不愿提及反法西斯侵略，这表示他们不是不明了这次世界大战的伟大价值所在，便是私衷仍在暗中恋恋不舍于法西斯的作风。前者是无知，尚情有可原，后者却是包藏祸心，罪无可恕！

但是这次世界大战若真有所收获，必须彻底消灭法西斯的恶势力，必须彻底消灭法西斯的残酷作风。因此，我们要认清法西斯的狰狞的真面目，尽量揭穿法西斯作风的罪恶，使它无论在任何烟幕或变相之下，都无法存在于人世间。否则法西斯的形式虽去，而法西斯的实际长存，其"为害之烈"仍然要"远胜于洪水猛兽"的！

讲到法西斯作风的罪恶，呱呱叫的标本，当然要推西方的德意，东方的日本（有人硬把日本放在法西斯阵线之外，其用意也是不言而喻的）。在他们三者中，又要推德国的纳粹做罪魁。我们要暴露法西斯作风的罪恶，德国无疑地可以供给我们以不少的材料。关于这方面，固有许多事项可以列举，例如德国纳粹的虐待犹大人，贱视妇女人格，奴役被征服的民族等等，都是材料丰富，一言难尽，彰彰在人耳目的，但还少见到有人衷心羡慕这种种罪恶，认为大有依法泡制的价值，所以本文姑置不论。我在本文中所要论及的却是下述的几种法西斯作风的罪恶：

一　压迫人民的特务

摧残人民的民主权利，是法西斯作风最显著的特点，而在这方面压迫人民最酷烈的工具，莫过于纳粹德国的所谓“秘密政治警察”，也就是邱吉尔指斥的“政治警察的方法”，说得通俗些，便是横行无忌、无恶不作的特务。

在德国这个组织是非常庞大的，所有爪牙（包括国社党的黑卫队“Black Guands”）共达四五十万人之多，布满德国全境各处：商店、办公厅、工厂、旅馆、餐室、学校（尤其是大学），以及海陆空三军中，形成大规模的间谍网。这个压迫德国人民的特殊组织，其首领是在德国最恐怖的一个人物，叫做希姆勒（Heinrich Himmler），他和他的许多爪牙可以不经普通法律手续，把无辜人民押入集中营，或判处死刑。七年以来，德人惨遭这些特务送入集中营者至少约有一百万人，其中因遭受酷刑而转瞬丧生者尚不可胜数。（这仅就德国一年前的本国情形说，德国的秘密政治警察尚设有海外部，把特务及集中营的法西斯作风扩充到欧洲被征服的各国里面去，受到这种惨遇的无辜人类，其数量增加之可惊，可以想见。）

在这样毫无法律可言的野蛮情况之下，人民的言论自由，当然是无从说起。记者在数年前在德国视察的时候，希特勒还上台未久，但是恐怖的情形已可看到，你要听德国人谈几句老实话，只有偷偷摸摸地在寂静的房间里密谈，在外面只看得到他们互相举手高喊“希特勒万岁！”（西方人见面时礼貌上总是说一句“你好！”或“早安”“晚安”之类，在德国无论阿猫阿狗见面，一律互相举手高喊“希特勒万岁！”尽管在房间里他可对你把这恶魔骂得狗都不如！）那时已可看到他们里面比较进步或留心时事的人，对德国“造谣重于宣传”的官报都不相信，喜欢搜索由伦敦或他国偷带进来的外国报纸看。后来情形愈来愈凶了，据美国名记者根色（John Guuther，即《欧洲内幕及亚洲内幕》的著者）于前年（一九三九）七八月间亲往德国视察所得，说现在德国人“就是在家庭里，人们也怕闲谈。他们全挤到教堂里去——这是一件很有趣的事——去寻求安慰。因为教堂是秘密最后的避难所，人们于是成群的跑进去，很多人希望牧师敢说一些，目前究竟有些什么事情在进行着。可是很少牧师这样做。秘密警察的阴影，到处都有着，就是在教堂里也难免。人们已不再有自由的志愿，他们对于自己的生命也无法支配”！根色所报告的这种实际情形，较记者数年前在德所见的又不知增加了多少倍的惨酷！

希特勒的“种族理论”是要以他所认为唯一优越民族亚利安种统治其他一切他所认为劣等的民族，其实他们代表的只是德国自私自利的纳粹的一小群，为着极少数人的权位利益（包括德国极少数的大资产者），压迫蹂躏德国的大多数人。（至于德国的蹂躏欧洲的其他国家的人民，也不管亚利安不亚利安，这事实也可以证明法西斯蒂的自欺欺人。）最使我感触的一点，是德国纳粹尽管用尽万钧压力，布满天罗地网，对德国大多数人民施展其法西斯作风的罪恶，但是只是一时桎梏了德国人民的躯壳，而不能歼灭他们的辨别是非的心。这只要看上面所述记者和根色在德国所见的情形，便可以看到事实的里面，而不致为表面所眩惑。德国纳粹为着少数人的权位利益而压迫蹂躏多数人，大权在手的时候，好像可以任意纵性，无敢谁何，但这种法西斯作风的终极结果，总是不免自掘坟墓，这也许就是人类的光明前途必然还有希望的基础罢！

德国人民在法西斯作风之下，言论自由受到酷烈的摧残，这只是摧残人民的民主权利的一个例子，虽则是一个很重要的例子——人民的言论自由是民主国家中人民所应有的最基本的民主权利之一，不但各国的宪法都明白规定，就是国父中山先生所主张的民主，对于这一点也是很注意的（参考本报七月十九日所载拙作《反民主的几种烟幕》及八月二十三日所载拙作《言论自由与民主政治》)。但是在法西斯特务作风之下，德国人民的生命也得不到法律的保障，也是一种极可注意的事情。民主政治的重要因素之一是建立法治的精神，人民的身体自由须在法律上有切实的保障，非依法律不能逮捕囚禁，更不得任意处死，即有犯罪嫌疑，亦须由具有独立精神的法庭公开审判，让人民有延请律师辩诉的机会。英国有所谓“身体保护状”（Habeas Corpus）的规定，严禁无故违法逮捕的行为，为政治学者所重视，也是因此。但是在原版或翻版的德国法西斯作风之下，最喜欢的玩意儿是秘密拘捕，不经公开审问，也说不到延请律师根据法律辩诉，即秘密处死，或送入集中营里去过惨苦的地狱生活。这种欧洲中古时代的黑暗情况，由于法西斯作风的罪恶蔓延，又复见于二十世纪光天化日之下，为民主政治的仇敌，为世界人类的灾祸！这种法西斯作风的罪恶，就是这次为保卫民主而战的大战所必须根除的。

希特勒执政后的六年间，被视做政治犯在纳粹法庭上（纳粹法庭当然也是不能主持公道的，但不经法庭而秘密处死或秘密用酷刑的，当更为黑暗）判决死刑的达一百二十九起之多，至于被送入集中营去秘密枪决及受酷刑而死的，至低估计有十四万件的残杀。在这六年间，被法西斯独裁视为政治犯，被秘密判罪者共达三十五万人，刑期合计达一百万年！这整千整万的无辜人民，现都仍在集中营中过着人间极惨苦的生活！（上述材料见 Peter Toenning 所著 *Six Years of National Socialist Terror*）

明了了这种的实际情形，便知道各民主国的政治家，所以痛心疾首于"毒焰已遍于欧洲全部以及亚洲的大部分"的"恶势力"，不是没有理由的。

二　草菅人命的集中营

集中营的黑暗生活，除了酷刑拷打，打死后拖出草草掩埋之外，一般地说来，在物质上及精神上也都是时刻在惨苦的情况中。那些得不到法律保障，被希姆勒和他的走狗们所抓去的无辜人民，到了集中营之后，头发就立刻被剃得尽光，穿上囚衣。从此便一面尝着拳打脚踢的滋味，一面受到刺刀锋芒的威胁。集中营里的主要活动是所谓“操练”，听着疾言厉色的口令，在疯狂的速率下，被迫着跑圈子，被迫着在污秽的地上打滚，被迫着屈膝下跪，以及其他种种侮辱精神令人不堪的“操练”，例如有所谓“爬行运动”，在地上用疯狂的速率效法畜生的爬，在操练时举头四顾是严禁的。倘若有人举头一望，他会立刻被推倒在污秽的地面上，而无情的钉鞋就会击打下来，使他遍体鳞伤，惨不忍睹。

每一个纳粹特务在集中营里都有着无上的威权，每个纳粹特务到来，一个“立正”的口号会立刻发出，所有“囚犯”都须立正起来，直到离开为止。他们可以任意发出任何命令，不管是怎样的无意义，一般“囚犯”都须绝对服从，唯命是听。这真做到了“我要怎么办就怎么办”的理想程度！集中营的人大概有知识有志气的居多，朝夕面对着这一班狗，其精神的痛苦是不能想象的。

没有理性的绝对服从，当然是不能在理智的空气中执行，所以只有在极端压迫之下硬干，于是“惩罚”的方法也就层出不穷。他们大概还不知道利用防空洞，可是却备有同样冰冷的潮湿的地牢暗室，一来就拖进去关个几天。五天以下的黑牢幽禁，算是一种“最轻的”惩罚。（有人把暗室的方法行用到学校里面去，作为惩罚学生的一种“妙法”，就是法西斯作风的翻版。）还有一种“最轻的”惩罚，就是藤鞭笞刑，最重的是枪决和绞刑。听说最近在他们乐意的时候，也恢复了用斧头杀头的玩意儿。

“囚犯”在集中营里所过的是“集体生活”，但是你不要误会这是什么理想的集体生活！举一个例你便知道大谬不然。例如他们要“集体如厕”，这据说是一件可惊的事情。他们要在规定的时间内，成群结队在严密地监视下，被驱到一露天厕所，那里在冬季的时候，更是寒风凛烈，刺人骨髓，如厕的时间规定短短的几分钟，一闻监视哨的口令，就须立刻归队！这样的“集体生活”恐怕谁都不愿领教罢！

被抓入集中营里去的无辜的人民，家属不知其所在，朋友不明其踪迹，你如果往问负责当局，他们都一概加以否认，也许还要加你以“造谣”的罪名（这也是法西斯作风的特点，无论原版翻版都是这样），所以只有父母饮泣，妻子吞声，朋友侧目顿足，无可奈何！一切在集中营里的“囚犯”都被绝对严禁与外界通消息，那更是不消说的了，无论他们对外面所作的报告的内容怎样，都会受到严重的处罚（上述材料见 Jrmgard Litten 所著《德国集中营的内幕》）。

法西斯作风的罪恶是擢发难数的，这里只是随便举些出来谈谈，已经一大堆。反对法西斯侵略，保卫民主者的责任，是要努力消灭法西斯的作风，是要绝对禁止法西斯作风“毒焰”的蔓延！这是各民主国的责任，也是中国的责任。

从三国同盟到美日谈判

一　三国同盟与远东

德意日三国同盟于去年九月二十七日午后六点钟在柏林签字，今日是这个三国同盟的一周年，但是国际形势瞬息万变，抚今追昔，景象已有了很大的差异，令人不禁发生沧海桑田之感。在去年的今日，日本天皇正为此事下诏铺张，日本的首相近卫也特为此事向日本全国国民广播，兴高采烈，热闹得什么似的。但是今日则如何？日本政府已于九月二十日下令禁止民间于九月二十七日庆祝三国同盟签字一周年纪念了。

在这表面上冷热异态的背后，实隐伏着前后迥异的国际形势。自从前年六月间法国失败一直到去年九月间三国同盟缔约之前，德意与英美双方都在争取日本，当时国际形势对于日本可以说是比较有利的。那时德国仍在企图渡海登陆，打击英伦，同时运用整个轴心集团的世界战略，要意大利在地中海打击英国，要日本在远东打击英国，牵制美国，德对日本固然不得不尽其怂恿拉拢的能事。英美为着欧洲形势的紧张，力量有所偏注，希望能推迟太平洋的冲突，对于日本也希望能暂时和缓一下，当时英国的封闭滇缅路，美国的承认所谓东亚门罗主义以迁就日本，都是在这样的情况下出现的。

日本是最投机的一个家伙，它为纳粹德国初期闪击战的胜利冲昏了脑袋，满以为可以借轴心胜利余威以自重，乘英美忙于欧洲战争的机会，着手南进，趁火打劫。三国同盟的成立，在日本显然是要加强德意路线，恫吓美国，企图由此达到它自己南进侵略的目的。(《三国同盟协定》第三条的规定，显然系指对付美国而言，已为国际公认的事实。) 但是日本的投机迷梦，由于事实的发展恰恰相反，终于不免幻灭。三国同盟缔约以前，日本在国际上比较有利的地位，反因三国同盟的成立而转坏。德国对英的闪击战闪而不能击，意大利在欧洲的战争一败再败，不但对日原来就无法予以实际的援助，连虚声助威的效用也等于零了。同时英美鉴于日本至少在表面上已完全投入轴心怀抱，已无和缓的余地，它们的态度不但不为之软化，而且一变而较前强硬，滇缅路重开，英国对华借款，禁止废铁出口，英美合作更趋积极，日美关系更趋恶化，远东形势反而因此澄清！在这种转变的国际形势之下，中国未能充分运用以争取更大的胜利，反而发生了内部的不幸纠纷，固属莫大的遗憾，但当时国际形势对于日本的不利，对于中国的有利，却是客观的事实。而这个变化的转捩点，德意日三国同盟的成立，可以说是一个界碑。日本帝国主义的投机，可谓一败涂地。

自从日本加入了三国同盟之后，它在表面上虽然拉到了两个西方的强盗做“盟国”，在事实上却由于增加英美对于它的对立，失去了原来尚可拉一拉的朋友——英美。而且日本在经济方面，对于英美的依存，也不是短时间所能摆脱。据去年十一月号《改造杂志》所载的材料，日本全部输入中的百分之六十以上，是仰赖于英美，它所输出之百分之四十以上，也是往英美各地的。由此可见英美对于日本即令不即发动军事上的行动，在经济上对于日本的控制力，仍然有着很大的作用。这种情形也使日本一面虽极力要投入强盗集团，一面却也不能绝对不顾忌到英美，尤其是美国对于它的压力，这更增加了日本的困难和苦闷。

二　最近的形势

今年六月德苏战争爆发，国际形势激变，世界反法西斯侵略阵线的形成和逐渐巩固，对于日本又是一个严重的打击。在今年四月间松冈赴欧带了苏日中立协定回到东京，他的那个不可一世的气概是难于想象的。它满以为一方面可利用这个协定作为威胁英美的资本，一方面可利用这个协定来挑拨离间中苏的友好邦交，分化中国内部，但是德苏战争以后的国际形势的变化，却把它的这种企图打得粉碎。英首相邱吉尔首先宣言："苏联的危险就是我们（英国）的危险，美国的危险，正如同苏联的自卫战争是全世界自由的人民和自由的民族的事业一样。"英美的贤明政治家根据这样的观点，一面加强联合的行动，一面加强对于苏联的援助，英美苏在反对纳粹侵略这一件事上已打成一片，日本要挟苏联以自重的资本，到此已无所施其技了。虽有少数人仍于日本帝国主义者的唾余，企图煽起反苏的高潮，也无法达到目的，加以英美对苏的态度一天天增加同情与友好，列身反侵略集团中的中国亦不能有所独异，日本要收到挑拨离间中苏友好邦交的效果，使中国少一个最同情中国抗战，对中国抗战援助最多的友邦，也终限于一种梦想无法实现。

同时由于纳粹东向，英国得暂时松一口气，美国在当时即须参战的急迫情况也随之和缓，于是英美在远东的力量也随之较前增强。所以在日军进占越南全部的消息发表以后，英美立刻采取了联合行动，宣布冻结日本在英美的资金（所有的自治领和殖民地都包括在内），加紧经济制裁，给与日本以严重的打击。但是直到现在，美国仍只希望中国的抗战能拖住日本，而英美作战的重心，至少在目前仍偏重在大西洋而不在太平洋。于是在不牺牲中国，不停止援华的原则下，美国希望能够推迟太平洋的冲突，是可能成为美国当前的尝试。所以邱吉尔在八月二十四日演说中一方面申斥日本侵华的暴行，一方面却明显表示美国正以绝大的容忍进行对日谈判，英国希望它能够成功，并声明倘若谈判失败，英国将与美国再采取一致的态度。

自从美日谈判正在进行的消息揭露之后，引起注意远东形势者的严密的关怀，尤其是和这件事有着切肤关系的中国，不能忽视。美日谈判究竟能否成功？倘若成功，对于中国的影响如何？这已成为最近我国人士稍稍注意时事者见面时必然要提出的问题。关于具体的谈判内容，两方直至现在还在严守秘密之中，无从讨论，但是有一点我们可以指出的是：目前的国际形势已和去年封锁滇缅路和承认东亚门罗主义时期不同，牺牲中国的可能性是很大的减少了。三国同盟以后的日本，已不是三国同盟以前的日本了。三国同盟以后的英美，尤其是德苏战争爆发以后的英美，也不是三国同盟以前或德苏战争以前的英美了。“不欲违反有关系的人民所自由表达的意愿，而作任何领土的变更。”（《英美联合宣言》第二条）“尊重一切民族，在其所居处的本国内，有权选择他们的政府形式，凡因被武力压迫而失去的主权及自治权利，都须恢复起来。”（上述宣言第三条）这是德苏战争爆发以后，民主国家对于世界的新号召，这种号召不是凭空而来，实有着各方面的实际力量推动而来的。在这种形势之下，日本要想在美日谈判中得到牺牲中国的结果，不是那么容易的事情了。美日谈判已进行了一个多月，尚无结果可言，这也许是一个症结所在。日本可能在谈判中将中国问题提出，但是美国显然无法满足它的欲望。

但是我们却也不否认美日间有暂时的局部的妥协之可能。关于这一点，路透社本月十六日华盛顿电讯所述，颇有参考的价值，它说："华盛顿真正消息灵通人士都相信，在谈话的现阶段中唯一的可能，即为与东京成立一种'暂时停进办法'，美日关系大概将处于停顿中，当然无从好转，然亦不致恶化，而日本则将保持安静态度，继续等候时机。至于美国所获的利益，即为在此时，将可不致从事太平洋上的战争。"该电讯又说："吾人于此应注意者，即美日关系如果恶化时，最为恐惧者当为日本，此间更无人感觉，有对日本让步的需要，更勿论其或须以美国或以中国为牺牲。"

三　我国的立场

有一点最属重要的是：在远东的狂涛中屹然卓立，成为一个决定因素，是中国坚持反抗日本侵略的战争。日本虽加入三国同盟，而对于英美不发生恫吓的功效者，因为中国的英勇抗战已把它打得焦头烂额，深陷泥沼。英美在三国同盟成立之后，对日本态度强硬，也因为相信中国对于日本有拖住泥脚的效用，所以用加强援华的办法，以阻止日本帝国主义者再进一步的猖獗。上面所谓现在要牺牲中国，可能性很少，这里面中国的坚持抗战，当然也是一个很大的因素。由这个观点看去，远东国际形势的变化，对于中国有利，与其说是国际形势的自然变化，不如说是大部分是由中国自力的争取。

即就美日谈判而论，就一方面说，中国不得不感到惭愧，因为美国对日还不得不以绝大的容忍，举行谈判，这表示中国给与日本的打击还不够坚强，使美国在偏重对付大西洋的时候，还不免有东顾之忧。但就另一方面说，美国不能牺牲中国，日本在谈判中，至今还不能得到什么结果，也还是因为中国已坚持抗战了四年多，使友邦不得不刮目相待。美国国务卿赫尔于本月十六日招待新闻记者时，曾经郑重宣称：“美国的政策，现仍根据一九三七年七月以及今年一月租借法委员会开始审查意见所发表的宣言；此项宣言曾称，美国对日本的政策有第三国的中国予以重大的关切。中国对于美日关系之任何实质变更，现正予以重大的关切，因美日纠纷的主因，即为日本侵略中国，如美国不通知中国，或与中国协商，则此种困难的解决，将不可能。”（路透社本月十六日华盛顿电）中国的重大关切所以受到友邦的重视，是因为坚持抗战了四年多的中国，命运已握在自己的手中，不是任人随意摆布的了。

明白了这一点，便知中国对于美日谈判的态度不是静以待变，坐观成败，而是要加强团结，加强本身力量，加强对于日本的反攻；由自身的更积极的努力，影响日美谈判的前途，影响整个国际形势对于中国的反应。有些人对于这一点反觉得无关重要，却在今天希望日本南进，明天希望美国立即对日开战，后天希望日本北进，日苏战争赶快爆发，天天把希望寄托在别人的身上，却把自己忘得一干二净，对于内部的磨擦加紧勾心斗角，特感兴趣！其实美国对日开战，目前还没有这样的打算，日本究竟要不要南进或北进，也还要等待时机，中国的抗战胜利，却是要靠自己！

三十年前的民主运动

“双十”的展望 历史的教训

一 拖延复拖延

“双十”的国庆纪念日即将到来，也可以说中华民国的三十岁生日即在眼前。所谓“民国”，依中山先生的说法，就是“要拿本国的政治，弄成到大家在政治上有一个平等地位，以民为主，拿民来治国家”（见中山先生演讲《同胞们都要奉行三民主义》）；“要人民真正有直接管理政府之权”，“要人民有充分的政权，可以直接去管理国事”（见《民权主义》）；“总而言之，要人民真正有直接管理政府之权，要政府的动作，随时受人民的指挥”（见同上）。因此我们对于“双十”的展望，便联想到三十年前的民主运动，这不仅是唏嘘吊古而已，在这回忆中实充满着可贵的历史教训，可供当前——辛亥三十年后——的民主运动的参考。

中山先生在《民权主义》第五讲中曾经叙述过这样的一个故事："前几天有一位在高丽做官的日本人来看我，……我问他日本在高丽的官吏对高丽的民权态度怎样？他说只看高丽人将来的民权思想怎么样……现在高丽人还不晓得争民权，所以我们日本还是不能不代他们去治理国家。未尝不冠冕堂皇。但是我们革命党待全国人民就不可像日本对待高丽一样，要等到人民晓得争民权的时候，才去给他。"其实日本之对待高丽人民，不但在高丽人还不晓得争民权时不肯把民权给他，就是等到高丽人晓得争民权的时候，也何尝会愿意把民权给他呢？

我们在这里所以想起这个故事，因为在三十年前的中国民主运动，满清对于这个运动的态度也是这样：当人民晓得争民权的时候，他们还是种种阻碍，多方拖延。这是当时统治者对于民主运动的一个值得注意的特点。

三十年前的中国民主运动原分两派：一派是中山先生所领导的革命派的民主运动，还有一派是康梁所领导的改良派的民主运动。中山先生在《中国同盟会宣言》

中明白提出四条政纲，即“驱除鞑虏”，“恢复中华”，“建立民国”，“平均地权”。在“建立民国”一项下，并加以解释：“今者由平民革命，以建立民国政府，凡我国民皆平等，皆有参政权，大总统由国民共举，议会以国民共举之议员构成之，制定中华民国宪法，人人共守，敢有帝制自为者，天下共击之。”康梁当时所倡导的只是君主立宪，当然赶不上革命派民主运动的进步性，但是在当时对于清廷的顽固守旧，亲贵专权，官吏腐化，给以不断的打击与暴露，在中国民主运动初期的斗争史上，却仍不能忽视它具有多少进步的意义。我们在这里所尤其要指出的是：就是改良派的立宪主张，清末的统治者仍视如洪水猛兽，用尽种种方法来留难、阻碍、搪塞、拖延！

梁任公等于一九〇四年在日本东京组织了政闻社，对立宪加紧活动，提出四条政纲，即（一）实行国会制度，建设责任政府；（二）厘订法律，巩固司法权的独立；（三）确立地方自治，正中央地方的权限；（四）慎重外交，保持对等权利。当时国内士绅及民间各种启蒙的文化团体纷纷响应，清廷见来势汹涌，于一九〇五年派五个“奴才”（载泽等五个大臣，清制对满人官吏原称“奴才”）出洋考察各国宪政，借此拖延了一些时候。“奴才”们视察的结果，说立宪“利君利民，独不便于庶官”，一时传为笑柄，但是尽管“独不便于庶官”，民间要求却有增无减，于是在一九〇六年不得不勉强公布九年预备立宪的上谕。他们以为放出一个“九年预备”的空头支票，可以和缓空气，又得拖延下去。但是民间要求，仍然强烈，华侨及国内各省士绅仍纷纷联名向清廷请愿，请求设立民选议院，清廷借口以“既宣布预备立宪，人民不宜有如此要挟举动”，于是下令“禁止干预政治”，并查封政闻社。

但是空头支票在民间虽用高压手段，也是不能持久的，民间的不满和要求仍在继续发展着，各地促进立宪的团体蓬蓬勃勃，有如雨后春笋，在江浙一带有所谓“预备立宪公会”，湖北有“宪政筹备会”，湖南有“宪政公会”，广东有“自治公会”，这些团体到了一九〇八年更集合河南、安徽、直隶、山东、四川、贵州等省的代表于北京，向当时的都察院呈递《请速开国会书》。以后又由江苏的张謇等号召的苏、浙、皖、赣、湘、鄂、闽、粤、桂、豫、鲁、直、奉、吉、黑十五省的咨议局代表于上海，组织了“国会请愿同志会”，还有联合各政团商会及海外侨商各代表组织了“国会请愿代表团”等，作了数次的大请愿。但是清廷所固执的唯一宗旨是留难、阻碍、搪塞、拖延！

最有趣的是清廷鉴于民间要求的迫切，允许于宣统五年（一九一三年）召开国会，把原定的九年预备，勉强缩短二年，而各省请愿代表仍不满意，在京奔走，呶呶不休，清摄政王载沣觉得十分讨厌，竟下令将各省代表递解回籍，并谕各省督抚开导弹压，如有违抗者以违法乱纪论，准他们查拿严办！

清廷的一班昏聩的“奴才”们原想用拖延复拖延的抵制办法，可以保持子孙万万世的顽固自私的勾当，但是少数人的顽固自私，终敌不过多数人的热烈要求，改良派的民主运动是幻灭了，却终促成了辛亥革命的成功，这就是年年双十所纪念的这一天！

二　有名无实的“民意机关”

满清对于改良派所主张的君主立宪，虽未曾巧妙地加以“颠覆政府”或“推翻政治中心”的罪状，作为在实际上反对民主的借口，但却想尽方法，尽量拖延，这种反民主的办法在上节已略述梗概了。但是由于人民仍不满意于无限期的“预备”，不得不用有名无实的“民意机关”来搪塞，故于宣统元年（一九〇九年）在各省成立所谓咨议局，其议员人数多者一百四十名，少者三十名，虽不像现在的省参议会还是由省政府会同省党部推举候选人，而居然出于选举，但所规定的选举资格却有些颇为奇特，除须年满二十五岁者外，尚须具有下列资格之一的，才得投票：（一）曾在本省地方办理学务，及其他公益事务，满三年以上，著有成绩者。（二）曾在中学堂及与中学同等或中学以上的学堂毕业得有文凭者。（三）有举贡生员以上之出身者。（四）曾任实缺职官，文七品，武五品以上未被参革者。（五）在本省地方有五千元之营业资本，或不动产者。（六）凡非本省籍贯之男子，寄居本省满十年以上，而有一万元之营业资本或不动产者。

选举资格须有文凭，须科举出身，须做过官（而且要文七品，武五品），须要五千元或一万元的营业资本或不动产，已经使选举和一般人民脱离关系（被选者当有年龄三十岁的规定），此外还列举若干事项，曾违犯其中之一者，即丧失其选举权及被选举权，例如其中有这样笼统的事项如（一）“品行悖谬”,（二）“营业不正”，（三）“身家不清白”。又规定“不识文义”和“现充小学教员”的都须丧失其选举权和被选举权！总之，真由人民选举的民意机关，最被统治者所畏惧，所以要指派，要加以极严酷的限制。

民意机关是否有名无实，要看它的选举法，同时也要看它的职权。当时咨议局的主要职权有六：（一）本省应兴应革之事，凡义务之增加，权利之存废，由其议决。（二）决定本省岁出岁入之预算决算，及税法公债。（三）修正单行之章程规则。（四）选举资政院之议员。（五）申复资政院或督抚之咨议事件。这似乎颇为冠冕堂皇，但是且看下文！咨议局的议决案，要“呈候”督抚公布施行，对于官绅舞弊案，亦须“呈候查办”。“呈候”的结果如何，当然权在督抚。督抚对于咨议局的选举开会，都有监督之权，会期之中，得提出劝告，或令其停会，或奏请解散。总之依职权而论，所谓咨议局只是督抚的顾问机关，绝对说不上什么人民代表的民意机关。

宣统二年（一九一〇年），清廷并成立所谓资政院于北京，其议员共二百人，由皇帝指派半数，其中充满了满蒙王公及昏庸官吏，还有半数由各省咨议局选出后还须经督抚“挑选”，一切由官家包办。资政院的主要职权为审查预算，改订法律，弹劾内阁等。其职权，民国成立三十年后的国民参政会还望尘莫及，但最后决定权仍在皇帝。（现在的国民参政会亦无最后决定权，一切决议，须由国防最高委员会核准，否则虽决议无效。）

这些是三十年前的有名无实的“民意机关”，被用来搪塞民间的民主运动，所异者当时他们还不知道宣称民主政治早已实现，中国已“成为真正民主政治之国家，人民亦得享受民主政治之生活”！

人民所需要的是在组织及职权上都能够在实际上监督政治推进政治的真的民意机关，而不是仅仅作为一种点缀品而不能发生实效的有名无实的“民意机关”。所以在各省咨议局及资政院成立之后，民间仍不能满意，民主运动仍在继续发展着。结果是在一九一一年的“双十”那一天，革命派的民主运动的号炮一响，“恢复中华”，“建立民国”！

三　抚今追昔

现在的时代当然和清末的时代不同了，最重要的是现在有了国父中山先生所遗留给我们的三民主义的宝贵遗教。他曾这样昭示我们：“必须先有民治，然后才能够真是民有，真是民享。”中山先生对于民主政治的重视，可以概见。他又说过：“今日我们主张民权，须要把民权放在人民掌握之中，凡事都该由人民作主的，所以现在的政治，又可叫做民主政治。”他并在所著的《中国革命史》中说过：“中国非民主不可。”于此可见中山先生所深切盼望实现的中华民国，绝对不是充满法西斯作风的中国，而是“非民主不可”的中国，“要把民权放在人民掌握之中”的中国。但是我们怎样才能在实际上办到“把民权放在人民掌握之中”，而不仅仅是永远“放在国父遗教之中”呢？这是当前中国政治上的一个最严重的问题。只是捧着国父的遗教，口中念念有词，这是不能视为早已实现了民主政治的。要实现民主政治，必须把国父的遗教切切实实地实行起来。

辛亥以后的三十年中的中国，不能说没有相当的进步，尤其是在三民主义深入人心的今日，国民对于民主政治的信念更较前深刻而普遍，因此更非在事实上实现，不足以满足全国人民的期望。（被检一百二十一个字）

展望“双十”，回忆历史，殊令人怅触万端，不胜感慨！我们所热切希望的是后之视今，有以异乎今之视昔！

中国民主的一般性

一　反民主者的心劳日拙

反民主的论客因为栗栗危惧于真正民主的实现，但又不敢公开反对民主，于是不得不想尽转湾抹角的说法，拼命对民主放暗箭，以为这样可以迷惑中国人民对于民主的认识，粉碎中国人民对于民主的信念，破坏中国民主运动的向前发展。关于反民主的种种烟幕和论调，记者曾在本报屡次为文加以驳斥和纠正，因为我们要希望中国民主能够提早实现，这种障碍实有扫除的必要。最近又有人发出妙论，诬蔑主张民主者是“醉心于法兰西格式的民主政治，企图依样葫芦地搬演于中国”，这种诬蔑的用心是相当刻毒的，因为法兰西是一个惨败的国家，是已沦入奴籍的国家，已给人以凄惨的印象，于是反民主者便以为提出

“法兰西格式的民主政治”，可以引起人们对于民主政治的厌恶情绪，加上说中国的主张民主者只是要“企图”把“法兰西格式的民主政治”“依样葫芦地搬演于中国”，这不是一件极端危险的事吗？你敢再要求民主政治在中国实现吗？这是反民主的深心妙计，但是中国人民却不是那样容易被骗的！我们的简单而扼要的答复是：法国的亡国不是由于民主而是由于反民主。在法国沦亡的前夜，国内的妥协派已在尽量摧残法国的革命传统，摧残法国的民主政治，打击法国的进步力量，加强法西斯作风，这一切都有事实可以覆按，已成为国际知识中的常识了，而且中国的主张民主者并没有“企图”要把“法兰西格式的民主政治”“依样葫芦地搬演于中国”来。不但“法兰西格式的民主政治”而已，就是英美格式的民主政治，苏联格式的民主政治，主张民主者也没有“企图”要把它们“依样葫芦地搬演于中国”来。其实在欧美各民主国，彼此间各有其特点，从来不曾看到有任何一国把他们的成法“依样葫芦地搬演”过来。中国的民主当然有它的特点，这是不成问题的，而且也是政治学上的常识。以此为借口来反对中国民主，徒见其心劳日拙而已！

但是在另一方面，我们却也不能因此不敢主张保障人权，保障人民的民主权利，主张真能代表人民的民意机关，主张真能对民意机关切实负责的政府等等，因为中国的民主政治固有其特点或殊特性，同时也应该具有世界上民主政治的一般性。我们固然不应仅仅看到中国民主的一般性而忽视它的特殊性；但也不应仅仅看到中国民主的特殊性而否认它所应具的一般性。

民主政治之所以异于专制制度（无论是君主专制或是官僚专制）和法西斯主义，除了各民主国各有其特点外，还有共同具有的一般性。这种一般性，是民主政治必具的因素或条件，如果失去了这一般性，便不是民主，或徒具民主之名而无民主之实。

关于中国民主的特殊性，当另为文讨论，本文要对于中国民主应具的一般性——就是关于民主政治的一般性——略加研究。

二　一般性的内容

首先我们要简单说明什么是民主。“民主”在西文的原字起源于希腊文，由“人民”和“治理”两个希腊字合组而成的，简单的意义便是由人民来治理。关于民主的定义，最为政治学者所普遍接受的是林肯所谓“民有、民治、民享的政府”。中山先生引申其义，在《民生主义》第二讲里这样说过：“我们三民主义的意思就是民有、民治、民享。这个民有、民治、民享的意思，就是国家是人民所共有，政治是人民所共管，利益是人民所共享。”列宁曾把民主制和贵族制比较，他说：“贵族制是比较不大的少数人的政权，而民主制是人民政权。”所谓“人民政权”，也就是由人民来治理。

以上是就原则说，根据这原则而发生的问题便是怎样实行“由人民来治理”？有二种方式：一种是由人民直接管理自己，像希腊小城市国家，每一个公民都有直接参加政府的权利；还有一种是通过他们所选举的代表。由于一国的人民数量往往不能像希腊小城市国家那样少，所以一般地说来，都是采用“通过他们所选举的代表”。现在世界上各民主国，尽管有种种不同的典型，但是由人民选举代表来构成民意机关，负起监督政府促进政治的责任，可说是民主政治的重要的一般性之一。

无论任何国家，要实行民主，必须具有这一般性；倘若尚未实现，必须努力求其实现。这是世界上任何民主国家所具有的一般性，也是中国民主所应具的一般性。

既是人民的代表，必须由人民自己选举出来，这个原则是无可疑的。即令是寻常的事，有人未征得你的同意，完全照他的意思指派一个人，说是你的代表，你认为合理的吗？你能一定信任这样的代表必能忠诚地为你的福利而努力服务吗？况且国事之关系你的福利更大，同时还关系许多人的福利，你能听任他人随便指派人出来做你的代表吗？因此，在各国民主政治发展史上，统治者为人民指派代表只是“落伍的民主政治”的现象；这样指派的人民代表在职权上也只能构成咨询机关而不是具有最后决定权的民意机关。如果所谓民意机关只有指派的代表，只有聊备咨询的职权，而犹故步自封，厌闻再求进步，以“进步的民主政治”聊自解嘲，嚣然号于众曰“我们有自己的民主政治”，“无须抄袭他国的成法”！这是合理的吗？我们要重复地指出：要有民选的真正民意机关，这并不是任何一个民主国所独有的特点，而是一切民主国家所应具的一般性。这和抄袭不抄袭他国成法，完全不相干！

其次，民主政治的实现，不但须有在组织及职权上真能构成代表人民的民意机关，而且还须有经人民选举或由民意机关产生，能直接对民意机关切实负责的政府。这是民主政治的另一个一般性，也不是任何一个民主国所独有的特点。

最有趣而荒谬绝伦的是：反民主者竟认为英美的民主政治也是一党专政！他们说："英美虽行多党政治……只让一党专政下去，直到国会改选期始有转变的机会。"英美多党政治中的政权递嬗，决定于人民的执行"改选"，正是民主精神的表现，而且即在朝党（是由于人民选举结果而上台的，这点最须注意）对于在野党也不能实行"对付异党办法"，压迫异党的存在，而仍须博采舆论（在野党包括在内）。例如英首相邱吉尔对国会报告，答复国会的质问，其中就包括有在野党；美总统罗斯福最近要修改中立法，不得不请国会中在野党领袖们在白宫晤谈，征求意见，这是一党专政吗？邱吉尔领导的英国政府是对英国人民所选举构成的民意机关负责呢？还是只对保守党负责？罗斯福领导下的美国政府是对美国人民所选举构成的民意机关负责呢？还是只对民主党负责？这是一党专政吗？

尤妙的是反民主者把英美民主政治的领袖和法西斯的领袖混为一谈。他们说："今日英首相和美总统的权力，其实较极权国家的元首是不相伯仲的。"他们根本不愿了解英美民主政治领袖及其政府是由民意通过选举而产生的，其权力是由人民通过所选出的民意机关依宪法及法律程序而授与的，经常还须受民意机关的监督；法西斯国家的领袖及其政府，却是由压迫人民欺骗人民，靠枪尖来支持，人民只有呻吟宛转于暴政之下而无可如何的。英国驻华大使卡尔曾在我国陪都公开演讲民主政治，曾引一句名言，说："意识到自己是自己所服从的法律的作者的人，是自由的。"同样被称为法律，民主政治下由民意机关产生的法律，和在法西斯暴政下由专制独裁所擅定的法律，其性质是完全不同的。民主政治的领袖的权力，和法西斯国家领袖的权力，在性质上迥不相同，也有同样的理由。

由人民选出或通过民意机关产生，能对民意机关切实负责的政府，是民主政治的另一个重要的一般性。

最后，人民的民主权利须得到切实的保障，也不是任何一个民主国家所独有的特点，而为民主政治的一般性。民主国都有由民意机关确定通过的宪法，在宪法中对于人民的民主权利都有明白的规定。一般人民不是选出了代表之后，就漠视国事，一切不管，却要通过民主权利如言论、出版、集会、结社自由等等的运用，对于政治乃至民意机关，作经常不断的督察和推进。必须这样，才能达到真由人民来治理的目的。在另一方面，必须有了民选的真能代表人民的民意机关和真对民意机关切实负责的政府，然后人民的民主权利才能得到更巩固的保障。

三　对中国如何

民主政治的一般性也许还有，但最主要的是上面举出的三种。反民主的论客们动辄骂人要“抄袭他国成法”，甚至说要把“法兰西格式的民主政治”“依样葫芦地搬演于中国”，好像我们主张中国要实现民主，必须使中国政治具有世界上民主政治的一般性，便中了他们的诬蔑！

其实中国的民主应该具有上述的一般性，中山先生在遗教中已遗留给我们许多伟大而英明的指示。例如他在同盟会的宣言中，就已明白地说："凡为国民皆平等……皆有参政权……制定中国宪法，人人共守。"他在《国民党政纲》中，于四种民权之外，更规定"实行普通选举，废除以资产为标准之阶级选举"。他在民国十三年的《北上宣言》中，曾要求在召集国民会议以前，要"保障各地方之团体及人民有选举之自由，有提出议案及宣传讨论之自由"。他曾致书段祺瑞，指责当时所谓善后会议是与人民隔绝的御用会议，其中有一段沉痛而精确的话："夫十四年来，会议之开屡矣，而皆无良果，考其原因，实由于会议之构成份子皆为政府所指派，而国民对于会议无顾问之权……不能选举代表参列议席……而人民利害绝不能于会议中求其实现。"

中山先生又曾经说："凡一切重要官吏，要人民有权可以选举，还要有罢官权。凡一切重要官吏，要人民有权可以选举，官吏不好的，人民也有权可以罢免"。

关于人民的民主权利，中山先生在民国十二年一月一日《国民党宣言》中也说："确定人民有集会、结社、言论、出版、居住、信仰之绝对自由权。"在《国民党政纲》的"对内政策"中又说："确定人民集会、结社、言论、出版、居住、信仰之完全自由权。"

我们只要不忘却这些遗训，便知道中国民主政治应具有世界上"进步的民主政治"的一般性，也是中山先生所重视的。我们希望反民主的论客们不妨把国父遗教（在他们是总理遗教）捧出来温习温习，不要闭拢眼睛瞎扯！

民主同盟与中国民主

一　扫除反民主的烟幕

中国民主政团同盟于今年“双十”国庆纪念日宣告在陪都成立，并将“成立宣言”及“对时局主张的十大纲领”在港报发表，引起了国内外深切的注意，除极少有成见者外，都对该同盟所宣布的“十大纲领”表示诚挚的同情。我们素来主张中国应该努力实现民主政治以加强抗战积极建国的人，看到该同盟的忠诚为国、光明正大的主张，尤不胜其欣慰和敬佩。记者认为同盟的光明磊落的态度和切合需要的主张，首先可以扫除若干关于反民主的烟幕。

第一，反民主者喜欢诬蔑中国主张民主者是要把“法兰西式的民主”“依样葫芦地搬演到中国”，喜欢说法国如何如何，好像中国一实现了民主，就要变成第二法国！

要扫除这种反民主的烟幕，我们只要看一看民主同盟的十大主张是否“搬演”“法兰西格式的民主”？还是根据中国自己实际上的需要？中国是否需要“贯彻抗日主张”？是否应该“恢复领土主权之完整，反对中途妥协”？这便是十大主张中第一项。中国是否需要“实践民主精神”？第二项即根据这个需要而具体建议“结束党治，在宪政实施以前，设置各党派国事协议机关”。（关于“结束党治”问题，后文另有讨论。）中国是否需要“加强国内团结”？第三项即根据这个需要而具体建议“所有党派最近不协调之点，亟应根本调整，使进于正常关系”。以上三项首揭抗战、民主、团结，为全国爱国同胞所最关心的三件大事，而对于每一项都有相当具体明确的指示或建议。

中国是否需要“切实执行《抗战建国纲领》”？第四项主张“督促并协助中国国民党切实执行《抗战建国纲领》”，这不是切合中国当前的实际需要吗？蒋委员长在去年四月间举行的国民参政会第五次大会的开幕词中就指出："我们两年前颁布的《抗战建国纲领》，经过本会决议，是我们全国一致遵守的信条。我们同人要根据这个共同信条，开诚布公的来检讨一下我们已往实行的成绩，不论对于政府，对于地方，对于社会，乃至对于各种团体，各个人都要考查一下，是否忠诚履行了这个纲领，以我们的热诚和公意来督促这个纲领的实行。"第四项的主张正是符合蒋委员长所指示的："以我们的热诚和公意来督促这个纲领的实行。"

中国是否需要"统一"？第五项对此需要主张"中央与地方权限须为适当之划分"，实符合中山先生"均权制度"的主张。中国是否需要"军队属于国家"？第六项对此需要提出"反对军队中之党团组织，并反对以武力从事党争"。军队属于国家是民主政治应有的原则，同时也与民主政治的切实实现的程度成正比例。

民主的实现不是一句空话或空头支票，必须切实保障人民的民主权利，这是否中国当前的需要？第七项和第八项即对此需要提出主张。前者要求"厉行法治，保障人民生命财产及身体之自由，反对一切非法之特殊处置"；后者要求"尊重思想学术之自由，保护合法之言论、出版、集会、结社”。

此外第九及第十两项虽属附注性质，但仍是切合中国当前实际需要的主张。第九项认为在党治结束下，应注意：（一）严行避免任何党派利用政权在学校中及其他文化机关推行党务；（二）政府一切机关，实行选贤与能之原则，严行避免为一党垄断及利用政权吸收党员；（三）不得以国家收入或地方收入，支付党费；（四）取消县参会及乡镇代表考试条例。第十项认为在当前政务上应注意：（一）厉行后方节约运动，切实改善前方待遇；（二）纠正各种行政上妨碍生产之措施，以苏民困，并力谋民生之改善；（三）健全监察机关，切实为各种行政上弊端之澄清。

有人除了诬蔑主张民主者是要把“法兰西格式的民主”“依样葫芦地搬演到中国”，还喜欢诬蔑主张民主者是要在中国实行“无产阶级独裁”！（妙在这两种诬蔑发见在同一报上，大概法兰西也实行了“无产阶级独裁”罢！否则苏联便“依样葫芦地搬演”了“法兰西格式的民主”！）人们看了上述的民主同盟完全根据中国实际国情及需要提出的主张，既不是“法兰西格式的民主”，也不是“无产阶级独裁”，反民主者的可笑的诬蔑，便不攻自破了。

第二，反民主者还有一套拿手好戏，对主张民主者任意戴上一顶红帽子。他们遇着有人提出实现民主政治的主张，一概加上共产党的头衔，把全国各阶层、广大人民对于实现民主政治的要求，把国父中山先生一生努力奋斗所要实现的民主政治，一切一切都算在共产党帐上（参看本报八月三十日所登拙著《实现民主的普遍要求》一文）。现在中国民主政团同盟成立，一方面可见实现民主的要求是反映着全国各阶层的需要，另一方面也可见要求民主并不限于共产党（其实根据国父遗教，国民党也是要求民主的）。参加民主同盟的主要政团单位如中国青年党、中国国社党，在已往和中国共产党都有过激烈斗争的历史，但是各党的领袖鉴于日本帝国主义者的残酷侵略及加强国力共御外侮，有精诚团结共同合作的必要，便毅然决然舍小异而取大同，共同为民主政治的光明前途而努力。各党领袖们的忠诚为国，眼光远大，实在值得我们的钦敬。这次民主同盟，中共并未参加，对于实现民主的要求是由帽子不红的若干在野党派组成的民主同盟提出。反民主者处心积虑要把民主和红帽子联在一起，利用党争破坏全国人民所渴望的民主，看到这种实际的情形，未免要大失所望罢！

第三，反民主者还善于无中生有，捏造惊人的恫吓之词，诬主张民主者是要“颠覆政府”，“推翻政治中心”“推倒现在的政权”！其实，主张民主者只有充实加强现在政治中心的效用，希望它进步，改善，而不是“推翻”“推倒”。如实施宪政为实现民主的一个重要步骤，蒋委员长在国民参政会第五次大会的演词中，再三说明提早实施宪政并不妨碍训政，在休会词中慨然指出：“我们民国成立快要三十年了，我们国家不能踏上民治的正轨。”要求实现民主政治者也不过是希望我们国家踏上民治的正轨而已。领导全国抗战建国的领袖也只是表示要提早实施宪政以充实加强政治中心，绝不会要推翻政治中心，是显而易见的。积极推动民主的中国民主政团同盟在宣言中明白地说：“今后领导国人，挽回大局，仍不能不有望于执政之国民党。”在纲领第四项并明白地提出“督促并协助中国国民党切实执行《抗战建国纲领》”，现在的政权是在国民党手里，如果要

“推倒现在的政权”，便连带要“推倒”国民党，怎样还能希望“执政之国民党”来“领导国人，挽回大局”呢？怎样还有“督促”“协助”之可言呢？这是极明显的事实，足见“推倒现在的政权”这个罪名是毫无根据的，但是这个毫无根据的罪名却是某些人最喜欢加在主张民主者的头上的！

二　关于结束党治问题

“结束党治”问题，在国民参政会第五次大会讨论宪政提案时，曾发生异常激烈的辩论。这个名词似乎很容易引起误会，当时参政员中的老前辈孔庚先生就在大会中费了不少时间立起来演说，说哪一国没有政党？美国有民主党共和党，英国有保守党工党等等，如把“党治”取消，他们不是无政治可言吗？其实所谓“党治”如果是指英美各国民主制度下的“政党政治”，那就根本用不着取消，在国民参政会中也不会发生那样激烈的辩论。但是中国的抗日在野党派所提出的“取消党治”中的“党治”，却不是指英美各国民主制度下的“政党政治”，而是指“一党专政”。

香港《大公报》曾于去年十月间登载重庆专电，说蒋委员长曾对赴渝视察的上海英文《大美晚报》主笔高尔德说，中国是要多党制的民主政治（因为高尔德提出这个问题询问蒋委员长）。所谓“中国要实行多党制的民主政治”，便是实行宪政，取消“一党专政”之意，也就是一般所谓“取消党治”。蒋委员长在国民参政会中曾表示提早实行宪政并不妨碍训政的继续进行，而且郑重指出：“我（蒋委员长自称）认为训政并非一定要中国国民党来担当，而是热心国事的人共同应有的义务。”既说是“共同应有的义务”，可见并非把国民党除外，同时也不排斥其他党派来合作进行。这也含有取消“一党专政”之意，也就是一般所谓“取消党治”。这样看来，所谓“取消党治”，只是通过民主的方式，由各党派共同合作，协助执政的国民党来充实加强政府，而不是“推倒现在的政权”。明白了这一点之后，对于中国民主政团同盟一方面主张“结束党治”，一方面却表示“今后领导国人，挽回大局，仍不能不以望于执政之国民党”，而且还要“督促并协助中国国民党切实执行

《抗战建国纲领》”，便不致感觉到“无论在逻辑上在事实上皆不可通”。

中国现在既不能采用资产阶级蛮横专政的法西斯政治，也不能采用无产阶级专政的民主政治，只能采用全国各阶层共同合作的民主政治，也是中山先生所诏示的“真正的‘全民政治’”（参看本报九月六日所登拙作《一党专政与以党治国》一文）。所以就中国的实际需要说，取消一党专政与实行宪政，实现民主，是脱离不了关系的。有决心实行宪政，实现民主，必须有决心取消“一党专政”，也就是必须有决心“取消党治”（这个名词用不用无关重要，最重要的是它所包含的真实的意义）。

三　第五纵队的诬蔑

提出“贯彻抗日主张”；要求“实践民主精神”；呼吁“加强国内团结”：这显然是热诚爱国的主张，但却有人加以诬蔑，说是“第五纵队的主张”，理由据说是“为了敌人的便利”！依这样的逻辑，中国只有以妥协投降来代替贯彻抗日主张，以采行法西斯作风来代替实现民主精神，以发动内战制造分裂来代替加强国内团结，然后才是于敌人不“便利”！

前年宪政运动正在蓬勃的时候，孙哲生先生曾对中央社记者发表谈话，说“忆本人在欧洲时，见各国人士对我宪政备加赞誉，咸认为中国在艰难困苦抗战中，尚能竭力发展民主政治，民族复兴，确于此精神中见之”（见去年一月十日中央社由重庆发出的电讯）。现在却有人把“竭力发展民主政治”以“复兴民族”的若干抗日党派诬为“第五纵队”，失态至此，不是太可痛惜吗？

我们知道参加中国民主政团同盟的重要份子大多数为国民参政员，我们又知道国民参政会正在纷纷通告各参政员按期到渝准备开会，如果他们是“第五纵队”，政府却敦请这许多“第五纵队”到抗战陪都去“参政”，不是太冒失吗？即此亦可充分表现第五纵队的诬蔑，徒然令人齿冷而已！

中国民主的特殊性

无论世界上任何典型的民主政治，只须不是民主其名而专制其实（尽管没有君主专制的形式存在，官僚专制也还是专制），必有其所以成为民主的一般性。这一般性，就原则上说来，就是中山先生所谓“要把政权放在人民掌握之中”，“以民为主，拿民来治国家”，“要政府的动作随时受人民的指挥”。就具体上扼要说来，第一，必须有真正的民意机关（在组织上必须由人民选举，在职权上必须能够负起监督政府促进政治的责任，不能仅是可睬不睬的咨询机构）；第二，必须有真能对这样的民意机关切实负责的政府；第三，必须切实保障宪法上所规定的人民的民主权利，人民并得通过民意机关监督其切实保障之必须实现。关于这一般性，中国当然也不能例外。这个问题，我曾在《中国民主的一般性》

一文里略加检讨（见十月十三日本报），但是中国的民主政治一方面应具有民主的一般性，在另一方面也有其特殊性，本文就是要对于中国民主的特殊性再贡献一些管见。

一　中国民主的历史任务

中国百年来遭受外患的压迫侵凌，逐渐被沦为半殖民地（日本帝国主义的加紧的侵略，更在企图要使中国沦为最残酷的法西斯统治下的殖民地）。同时国内的封建制度，虽在外国资本主义侵入以后，由于商品经济，货币经济的发展，逐渐起了一些分解，但是半封建制度仍在中国社会中占着优势。尤其显著的，是封建势力在乡村中剥削农民压迫农民的酷烈，官僚专制势力的猖獗，随处都显现着封建残余对于中国进步的严重障碍。由于中国在基本上仍然尚未脱离半殖民地半封建的地位，所以中国民主政治的历史任务便是反帝（在当前即是集中全力反抗日本帝国主义者的侵略），反封建残余。就积极的意义说，便是要争取抗战最后胜利，使中国成为一个独立自由的国家；同时使中国建立清明政治，成为真正的三民主义共和国。

这两大重要的历史任务虽各有其范围及具体的工作内容，但是彼此之间却有着很密切的关系。所以国民党临全大会宣言中曾经郑重指出：“非抗战则民族之生存独立且不可保，自无以遂建国大业之进行，而非建国，则自力不能充实，将何以捍御外侮，以求最后之胜利？”抗战建国必须同时并行，不仅是时间上的同时而已，同时也因为在实际上确有其不可分离的关系。在现代化的战争中，战争是全面的，全民的，并不限于军力，同时还须尽量发挥民力，但是如不设法解除人民因政治不良所遭受的种种桎梏，民力何从发挥？蒋委员长曾说：“中国欲贯彻其绝对必要之作战目的，更须动员全民，加强长期抗战之一切设施。”但是如不设法解除人民因政治不良所遭受的种种桎梏，如何动员全民？又如何加强长期抗战之一切设施呢？所以有人把抗战胜利和内政改革强为分开，因此发生在抗战期间一切不必问的谬论，根本错误就在不了解抗战建国之间有着不可分离的关系，就在不了解抗战胜利和内政改革有着不可分离的关系。

我们明白了中国民主政治的两大历史任务，请进而研究中国民主政治应有的内容。

二　中国民主应有的内容

根据上段的分析，我们知道中国民主政治的历史任务一方面是反抗日本帝国主义的侵略，使中国脱离半殖民地的地位，成为一个独立自由的国家；一方面是肃清封建残余，使中国脱离半封建的地位，成为一个真正的三民主义共和国。

中山先生遗留给我们的三民主义，如能切实执行，在实际上便是上述的两大历史任务之具体的表现。所以中国民主政治的内容，应该是三民主义之切实的执行。

关于三民主义的真诠，有中山先生的三民主义演讲为根据，而在国民党第一次全国代表大会宣言中尤有扼要明确的说明。民族主义的目的，“在使中国民族得自由独立于世界”，这就是要使中国脱离半殖民地的地位。在当前即为集中全国的力量反抗日本帝国主义者的侵略。民族主义的执行，“其所恃为后盾者，实为多数之民众”，因为“民族主义对于任何阶级，其意义皆不外免除帝国主义之侵略”。“吾人欲证实民族主义实为健全之反帝国主义，则当努力于赞助国内各种平民阶级之组织，以发扬国民之能力。”（均见国民党第一次全代大会宣言）这样看来，中山先生不但指示了民族主义的目的实与中国民主政治应尽的反帝任务相符合，而且还指示了实现民族主义所由的途径是靠全国各阶级的“多数之民众”，是靠“赞助国内各种平民阶级之组织”，“发扬国民之能力”，这更是特别注重“以民为主，拿民来治国家”的民主政治的原则。

民族主义的目的在反帝（中国民主政治的一个任务），民权主义及民生主义的目的则在反封建（中国民主政治的又一任务）。民权主义主张“于间接民权之外复行直接民权”，“为国民者不但有选举权，且兼有创制复决罢官诸权”。上述宣言并郑重指出：“近世界各国所谓民权制度，往往为资产阶级所专有，适成为压迫平民之工具，若国民党之民权主义，则为一般平民所共有，非少数者所得而私也。”所谓“一般平民所共有，非少数者所得而私”，也显示了封建统治之必须根除，“以民为主，拿民来治国家”的民主政治之必须建立。

民生主义的主要原则在“平均地权，节制资本”，使少数私人“不能操纵国民之生计”。上述宣言尤其郑重指示的，是对于占全国人口最多的农工群众的生活改善的重要。所以说“全国各阶级所受痛苦，以农民为尤甚”，故除提出改良工人生活外，依民生主义的主张，“农民之缺乏田地，沦为佃户者，国家当给以土地，资其耕牛，并为之整顿水利，移殖荒徼，以均地力；农民之缺乏资本至于高利借贷以负债终身者，国家为之筹设调济机关，供其匮乏，然后农民得享人生应有之乐”，于此可见民生主义的真正实现，即封建残余之经济剥削得以消除。但要达到这个目的，“必恃全国农夫工人之参加，然后可以决胜”（均见国民党第一次全代大会宣言），又归根到“以民为主，拿民来治国家”的民主政治的基本原则。

由于上述三民主义所包含的反帝反封建的作用，我们说三民主义的切实执行，在实际上便是中国民主政治的两大历史任务之具体表现，确是有着充分的根据。

三　中国民主的进步性

中国民主政治有着它的进步性，首先由于作为它的具体内容的三民主义的进步性。上述中山先生在宣言中所指示的关于三民主义的说明，说到民权主义，郑重提及“所恃为后盾者实为多数之民众”；说到民权主义，郑重提及“为一般平民所共有”；说到民生主义，又郑重提及“必恃全国农夫工人之参加”，从这些地方已可看出中国民主政治如果真能实现，是要比一般的资本主义民主政治进步。即就三民主义的各别内容看来，也是这样。例如民族主义，不只是努力于“中国民族自求解放”，同时也主张“中国境内各民族一律平等”，而在还要在世界上尽其“济弱扶倾”，帮助其他弱小民族以抵御强权压迫的责任。这和狭义的国家主义固然不同，和侵略他国而以国家主义为标榜的法西斯主义，更有差异。

民权主义于间接民权之外复行直接民权，且必须为一般平民所共有，非少数者所得而私，这也表现了它的进步性。此外如规定“实行普遍选举制，废除以资产为标准之阶级选举”；“确定人民有集会、结社、言论、出版、居住、信仰之完全自由权”;“于法律上、经济上、教育上、社会上确认男女平等之原则，助进女权之发展”，也是含有进步性的内容。

最后讲到民生主义，它虽不否认私有财产制度，但它也不是要建立欧美式的资本主义社会，因为它要“平均地权”，要实行“耕者有其田”，不许“土地权之为少数人所操纵”；要实行“节制资本”，“凡本国人及外国人之企业，或有独占性质，或规模过大……如银行铁道航路之属，由国家经营管理之，使私有资本制度不能操纵国民之生计”，这都是含有进步性的因素。

中国民主政治具有进步性，除由于三民主义含有上述的进步性外，还由于它现在所处的时代是社会主义国家成立以后，各国民主都在努力扩大的时代，中国的民主革命已是新的进步的世界的一环，而不是旧的倒退的世界的一部分。

四　各阶层共同努力的必要

由于上述的中国民主的历史任务、具体内容及其进步性，我们对于中国民主政治的特殊性，已略明梗概了，最后还有一点值得注意的，是中国民主政治的成功必须由于全国各阶层的共同努力，因此必须由于成为全国各阶层比较有组织的先锋——抗日各党派——来共同努力。中山先生曾主张以党义治国，而不是以党员治国，可见重在号召全国共同努力实行三民主义，而不是要由党员包办一切；他在《北上宣言》中倡导召集国民会议，旨在“将以第一次全国代表大会宣言所列举之政纲，提出于国民会议，期得国民彻底的明了与赞助”；而在所建议的九项代表中，即有各政党代表一项，可见他重在主义及政纲的实行，而并不拒绝各政党的合作。蒋委员长对于在实际上包括全国各抗日党派领袖的国民参政会演词（第一届第四次大会），曾指示提早实行宪政，并不妨碍训政的继续进行，且声明训政工作并不一定全由国民党来担当，实为全国热心国事者的共同责任，也表示不拒绝各党派的合作。

中山先生和蒋委员长的这种贤明的表示，是适合于中国国情及实际需要的。我们曾经屡次指出，依中山先生“以民为主，拿民来治国家”的遗教，中国是绝对不可能成为资产阶级蛮横专政的法西斯国家，因此也不可能采用法西斯国家的“一党专政”。同时中国既不是无产阶级专政的国家，也不可能采用社会主义国家的一党政治（虽则是两种的一党制，在本质上有其根本差异的）。中国所应采用的“真正的‘全民政治’”（中山先生语），是要由全国各阶层共同努力合作的。在另一方面，依中国社会经济基础的实况，有着各阶层的存在是事实，有着各阶层先锋的抗日各党派的存在，也是事实。中国既不可能采用一个阶级专政的一党政治办法，既须团结全国各阶层力量来共同努力执行三民主义，所以全国各阶层及其先锋党派，有其精神团结，共同努力的必要，便成为中国民主政治的另一特殊性。这个特殊性必须被正确地认识，然后中国民主政治才能顺利地实现。

重新引起注意的参政会

参政会有何实际效用·实际经验所得的观感

国民参政会原来是三个月开会一次，每三个月在各报新闻上便热闹一番；后来改为六个月开会一次，于是每六个月在各报新闻上才热闹一番，比较冷落而安静得多了！但是在民主运动稍稍开展之后，在若有若无之间的国民参政会似乎又稍稍走运，因为某些人广播表示中国已经“成为真正民主政治之国家，人民亦得享受民主政治之生活”（见七月二十三日香港《国民日报》），或在文字上表示“国民党不仅不在专政，而且还有充分的彻底的民主精神”（见第四十六期《中央周刊》），或在谈话上表示“中国老早已经实行民主”（见八月二十日香港《国民日报》），（被检十九字）最近听说第二届国民参政会第二次大会又将举行了，这个表现“真正民主政治”、“充分的彻底的民主精神”、“老早已经实行民主”的国民参政会，又须再被人牵着露脸一次，所以又重新引起人们的注意。我想在这篇文章里略为检讨国民参政会究竟有何实际的效用，并略述实际经验所得的观感，也许对于中国真正民主政治前途的推进，不无小补罢。

一　参政会的组织和职权

民意机关是民主政治中重要因素之一，国民参政会是否民意机关，要根据它的组织和职权下判断。我们不必把欧美民主先进国的民意机关的组织和职权作为判断的根据，因为也许有人借口别国的成法不合于中国的国情（虽则民主政治有其一般性，参看十月十三日本报所登拙作《中国民主的一般性》一文），我们可把中山先生遗教中所指示的民意机关应有的组织和职权，作为判断的根据。中山先生在同盟会时代就在该会所揭橥的四大纲领中的第三纲领，明确地指出“议会以国民公举之议员构成之”，“凡为国民皆平等，皆有参政权”：这已指示我们民意机关的组织应由选举而不是由于指派，民意机关的职权应有参政权。什么是“参政权”呢？说得更具体些，便是“国民大会（按即民意机关）对于中央政府官吏，有选举权，有罢免权；对于中央法律，有创制权，有复决权”（见中山先生所手订的《建国大纲》第二十四条）。再就已由国民政府公布的《中华民国宪法草案》说，劈头即声明是“遵照创立中华民国之孙先生之遗教”制定的，其内容虽有学者认为尚有缺憾，需要补充，但即就该草案而论，对于民意机关的组织，也指出“国民代表之选举，以普通平等直接无记名投票之方法行之”（见该“草案”第二十八条）；对于民意机关的职权，除列举上述的四种民权外，还列有“宪法赋予之其他职权”。（见该“草案”第三十二条。虽有学者认为凡有关政权性质的职权，像宣战、媾和、大赦、戒严、缔结条约以及预算决算和一切财政案，如发行内外公债、增加捐税等，都应属于国民大会的职权，此处姑不详论。）

我们如根据中山先生遗教所指示的民意机关应有的组织和职权，对于国民参政会是否即可算做民意机关，便不能得到正确答案。

我曾把国民参政会的设立，譬之为国民党的大规模“请客”，国民党以外的在野各抗日党派中人及无党无派的各界人士被请的是“来宾”，国民党籍的参政员是“陪客”（详见拙著《抗战以来》一书），这确是符于事实，因为请的客虽有二百人之多（指出席第一届的），尽管可分为四类，但依“国民参政会组织条例”（亦指第一届），这四类的客的候选人或由各省市党部联席会议依规定名额加倍提出，或由国防最高会议依名额加倍提出，最后都由国民党中央执行委员会会议决定。这显然不是民选的民意机关。讲职权，依上述的条例所规定，有听取权（听取政府施政报告）、询问权和建议权。但是听听报告，问问疑团，以及没有决定性的建议，（决议案非经国防最高会议核准无效，等于非经“请客”的主人答应无效）。这和中山先生遗教所指示的民意机关职权，简直毫不相干。

第二届国民参政会，虽经政府方面“参酌两年以来之经验与社会人士之期望，将参政员产生方法予以改进，国民参政会之名额酌予增加，国民参政会及驻会委员会之职权酌予扩充，并将议长制改为主席团制”（见去年九月二十五日中央公布的决议），但就实际上略加研究，便知道所谓“改进”，实等于零。就组织方面说，所谓“产生方法予以改进”，是指有一小部分参政员改由各省市临时参议会选出，但是我们要知道各省市参议员本身的原来候选人就是由政府及省党部联席会议提出，无异于指派，由这种省市参议员所选出的若干参政员，显然不能与民选混为一谈。就职权方面说，在名目上加了一个调查权，而且还只限于“调查政府委托调查事项”。其实在第一届参政会中，原来有过调查工作，（例如川康建设调查团，华北慰劳视察团，及参加军风纪视察团等）。所以所谓“职权酌予扩充”，在基本上和第一届实在没有什么两样。组织和职权既然都是依样葫芦，其他枝节如驻会委员会之职权酌予扩充（至多只是把参政会全部职权移过去，但是参政会本身的职权就够不上民意机关的职权），议长改为主席团制，都无足轻重。至于“名额酌予增加”（由二百人增至二百四十人），（被检二十一个字）。

所以我们如能平心静气，根据事实下一番分析研究，便知道依照中山先生遗教所指示的标准，国民参政

会并不是民意机关，因为它的组织和职权都够不上民意机关。（被检约一百十二个字）

二　希望的幻灭

平心而论，在抗战初期，国民参政会的设立，不是没有进一步团结全国各种力量为抗战建国而努力的可能有、应该有的作用，也有使全国政治生活走向真正民主化的可能有、应该有的开端的意义。因此，在第一届国民参政会初成立时，“陪客”们固然是奉命参加，毫无问题，即在野的各抗日党派及无党无派的各界人士（也就是十月十七日《星岛日报》社论所诬为“对于国家是有罪无功，对于自己过去未曾有自信”的人士！）都怀着最积极最热忱最诚挚的态度去参加。记者自己当时有着这样的心情；据记者所亲历观察，那时参加该会的在野抗日党派的领袖们，以及无党无派的各界人士，都有着这同样的心情的表现。在我所亲自参加的第一届国民参政会的全部时期中，一方面看到“来宾”们在每届大会都尽他们最大的努力，（我们只要记起第一次大会中他们痛击汪系喽啰们李圣五之流的所谓德意路线的活动，第二次大会中痛击汪逆的公开主和的谬论，尤其是在第四次第五次大会时正当着国内团结为某些暗影所笼罩时，特别关心和努力，并曾通过了虽然迄今仍留在纸上的一些治本治标之方，亦曾组织了劳而无功的特种委员会商讨办法，便知道“来宾”们实在是尽了他们最大的努力。）但在另一方面，却看到他们对于参政会的热望一天天往下降，对于参政会的效用一天天冷淡下去。这绝对不是由于他们主观上的消极，而且由于这个徒有粉饰作用的点缀品——国民参政会——在今天已清清楚楚地表现了没有什么实际的效用；最主要的原因是它虽被人视为过渡的“民意机关”，而在实际上只是聊备顾问，可睬不睬，丝毫没有民意机关应具的职权，所以只是“集思广益”，行与不行可不是权力内事！一切一切只是在纸面上兜圈子；“原案经审查会修正通过，送经大会照案通过，秘书处咨送政府，经国防最高会议发交行政院核议，行政院又交经济部核复。经济部……具复行政院认为事实可行。国防最高会议亦曾将经济部行政院的核议可行，通知国民参政会秘书处。但除公文往来复去而外，事实上并无下文！”（借用梁漱溟先生语，见十月九日《光明报》所载梁著《我努力的是什么》，这虽是梁先生描述他自己提案的命运，但据我亲历经验所知，凡是有推动政治作用的重要提案，都有着同样的命运，请参看拙著《抗战以来》中关于参政会部分。）这不仅是我个人从实际经验中得来的沉痛的观感，凡是肯说良心话的各位“来宾”都有着同样的观感。他们都深深感觉到“人民有参政不参政之责，同人有与政府不相干之叹，这实在是实情”。（见第一四三期《全民抗战》中的《几位参政员对于国民参政会的感想》特辑，包括抗日各党派领袖们的意见。）因此，在第二届国民参政会成立之前，在野各抗日党派及无党无派的若干“来宾”，都注意到参政会如果要在政治上发生作用，职权必须相当提高，更须多延揽社会上各界有力人士参加。左舜生先生曾代表大家写信给蒋委员长（同时是议长）表示意见，蒋委员长表示可以容纳，叫他左右拟办法，（被检二十八字）现在有人诬蔑要求实现民主者为“不顾国家利益而争求其个人自由”，甚至“只念私人仇恨，置国家利益于度外”，真是无的放矢，其实大家如真“不顾国家利益”，真“置国家利益于度外”，尽可以闭拢眼睛，（被检十一字）与世无争，岂不逍遥自在？但正是要顾到国家利益，要置国家利益于度内，所以目击心伤，不忍坐视，所以要求政治有进一步的推进。在实际上只有一味故步自封，听到政治改革便发抖的人，才真是“不顾国家利益”，才真是“置国家利益于度外”！

三　缺憾的弥补

中华民国是四万万五千万人的国家，（被检十一字）这便是中山先生所喜说的“天下为公”。我们看出了中国政治上的缺憾，不能袖手旁观，必须力图补救。根本的办法当然在努力实现民主政治，正如参政会中东北派元老莫德惠先生所指出：“民主政治为当前举国一致之要求……民主为促成政治进步之唯一途径。抗战到底固有待于最后胜利之保证；而最后胜利之争取，实非树立民主政治，不能做到‘人尽其才’，‘物尽其用’，充分发挥全国总动员之力量。”（见第一四三期《全民抗战》）讲到实现民主，真正普通的、真能代表民意的、有权解决内政外交决策的民意机关，是一个重要的因素。自从要求实施宪政的提案于二年前（民国二十八年九月初旬）在参政会一致通过之后，筹备二年，一无所成（政府设有国民大会选举总事务所，“负责”筹备，其中安顿不少官员），听（被检九字）可见即是筹备宪政，也实由抗日各党派共同合作，（被检八字）将无限期地不能兑现。如国民大会尚未成立以前，有缓不济急之势，我们也可以同意一方面积极筹备，一方面有个过渡办法，即暂由国民党会同各抗日党派及各界各自推选一定数额的代表组织一种会议（略师中山先生所曾主张的国民会议的精神和办法），代行民意机关的职权。它当然还不能符合于民选的标准，但只是作为过渡，抗日各党派既为全国各阶层比较有组织的先锋，再加上各界代表，多少可代表全国的公意，（被检十五字）对于政治改革的推进，比较仅备咨询可睬不可睬的国民参政会要有效得多。

关于参政会的回忆与感想

关于国民参政会，记者曾著《重新引起注意的参政会》一文，对于参政会究竟有何实际的效用，以及记者实际经验所得的观感，有所论述，希望由此引起爱国同胞加强对于民主政治的推进（见十一月一日本报）。依我二三年来参加国民参政会所得到的印象，还有一些回忆与感想可以提出来谈谈。（被检七十一字）但是在另一方面，我们却也可以看出几点积极的意义，足以证明在中国民主可行，民主必要，民主有效。

一　民主可行

我们承认国民参政会的设立是抗战初期民主政治初步开展的一种象征，但是我们不能承认国民参政会是

“中国老早已经实行民主”或中国已经“成为真正民主政治之国家”的证据，因为无论就世界上民主政治的一般性说，或就中山先生的遗教说，国民参政会现有的组织和职权都够不上民意机关，（被检三十四字）但是由于“来宾”们在国民参政会中的表现，却证明了民主政治在中国确是可行。

试举几个事实做说明的例子。在参政会的审查会及大会上都曾经有过热烈激昂的辩论，但是在有组织的辩论中，从来没有听到有反动派动辄把“第五纵队”“汉奸”一类的不相干的帽子向人家头上乱挥。那样无赖无聊的恣态，在参政会的议场上从来没有看见过。在民初的国会里，飞墨盒打架是常事，参政会的议场上虽然没有墨盒，无从飞起，但自来水笔和一堆一堆的印刷品是有的，要飞起来不是不可能。但是大家对于讨论的问题尽管据事据理力争，却不见有开口含血喷人的无理取闹。就是“陪客”之一的李中襄先生也不得不感动而慨叹着说道：“审查会每于盛暑举行，夜深二时未能休会。在会议时，各参政员情绪之热烈，讨论之周详，态度之认真，主张之坚决，以及发言之直，待人之谅，均有足令人回忆而弥感政治之日渐纳入轨范矣！”

这种认真讨论问题不斗意气的态度有着它的基本的背景，那就是“来宾”们尽管来自各党各派，但都是以国家民族的利益为前提，并不像某些以自己之腹，度他人之心，把努力参加国事诬为分赃，或诬为“私人欲望”。（其实如把国事视为“赃”，自己先存着盗贼心肠，“分”固丢脸，独占也何尝光荣！）有着这样以国家民族的利益为前提的基本背景，所以“凡是国利民福的重要问题其结果总是全堂一致”（“来宾”之一的罗隆基先生语）。罗隆基先生看到这样的现象，曾这样说过：“以往反对中国实施民主政治的人，总以民初议会那些弊端做口实，仿佛中国人先天只能做‘猪仔’议员，参政会却证明这见解是错误的。”

反民主者听到有人要求实现民主，好像本能地扯到反对国民党，反对政府，反对领袖（在他们也许知道事实并非如此），（被检四十三个字）但看了在野的各抗日党派的领袖们在参政会中的事实的表现，（被检十七个字）在第一次大会中（指第一届，下同），全体一致以最热烈的态度（全体一致起立）通过国民党临全大会所决议的《抗战建国纲领》。该纲领在"总则"里就写明："一、确认三民主义暨总理遗教为一般抗战行动及建国之最高准绳。二、全国抗战力量，应在本党及蒋委员长领导之下，集中全力，奋励迈进。"（按领导不是消灭，这一点最应分别清楚。）在野的各抗日党派最初以最积极最热忱最诚挚的态度参加国民参政会，原希望可以由此团结全国各方力量为抗战建国而努力，由此可以使全国政治走向真正民主化，他们一致拥护以国民党为领导中心的《抗战建国纲领》，做推进民主政治的出发点。

在第二届国民参政会将成立之前，我们知道政府有对参政会酌量扩充名额，酌量提高职权（实际结果如何，请参看上星期六本报所载拙作《重新引起注意的参政会》一文），及将议长制改为主席团之意，在野的若干抗日党派在陪都所组织的"统一救国同志会"（这个团体即"中国民主政团同盟"的前身，虽未经过向官方作登记的形式，但经蒋委员长亲自准许成立）曾在会议时讨论到这个问题，一致主张仍推选蒋委员长任主席团的主席（记者亦曾参加"统一救国同志会"，曾亲自参议，故知其详），可见议长制尽管改为主席团制，积极主张民主政治者对于领导全国抗战的蒋委员长是始终拥护的。（后来在事实上是一致推选了蒋委员长担任主席团主席。）反民主者总喜欢表示民主政治的实现是和最高领袖及政府不相容，（被检十七个字）。

中山先生在民国纪元前在日本留学讲的演词中，就已指出："吾侪不可谓中国不能共和，如谓不能，是反进化的公理。"我们看到"来宾"们（包括在野的抗日党派领袖们）在国民参政会中的表现，更深深感觉到中山先生这几句的至理名言，证明了民主政治在中国是可行的。

二　民主必要

民主政治不但在中国是可行的，而且在抗战期间尤有其绝对之必要。第一是反映民意，第二是解决困难，第三是积极建议，第四是检讨责任。

关于第一点，第一届国民参政会在每一次大会中都反映了人民的公意。例如第一次大会于民国二十七年七月举行于汉口，正在淞沪撤退，南京放弃之后，汪系正在乘机发展其“低调俱乐部”计划，企图陷害国家，参政会却全体一致通过拥护国民政府实施《抗战建国纲领》及拥护政府长期抗战国策案，议长宣布付表决时，全场很迅速地一致起立，掌声雷动，历数分钟不止，这表示了全国人民拥护《抗战建国纲领》及长期抗战国策的公意。当时汪系喽啰们李圣五之流已在参政会中秉承汪逆的意旨，大发挥其德意路线的活动，虽当时还有些人未能察其奸谋，颇有宽容的态度，但由于认识明确者的迎头痛击，力予驳斥，使阴谋破坏抗战者为之落魄丧胆，原来想利用参政会的议案（指关于德意路线议案）作扩大宣传以广播妥协毒素阴谋（当时德国正在阴谋调停中日战争，劝中国妥协），完全失去了根据。

第二次大会于民国二十七年十一月举行于陪都，当时武汉放弃，广州不守，人心不无浮动，蒋委员长辛劳督师前方，汪逆精卫却凭借其国民党副总裁的地位，在后方利用当时的党报党刊，公然传播主降谬论，参政会却合并五个提案，决议拥护蒋委员长所宣示的全面抗战，争取主动的方针，坚决抗战，以完成抗战建国之任务。同时由陈嘉庚先生放来一炮——“官吏谈和平者以汉奸论罪”提案——经多数参政员副署提出，引起汪逆及其喽啰们和主战者的大辩论。（当时汪逆任议长，居然也忍不住，以主席地位大发其主降谬论，为其喽啰张目。）汪逆当时原以国民党副总裁、国防最高会议副主席的重要地位，发挥其破坏团结，破坏抗战的阴谋，当时进步的文化界言论界因受官方限制之严，言论不能自由，对汪逆所传播的毒素不易加以制裁，但经过参政会这样公开暴露之后，狐狸尾巴全部赫然出现了！

第三次大会于民国二十八年三月举行于陪都，当时汪逆精卫正在发挥近卫诱和宣言，变本加厉进行其出卖民族的勾当。参政会决议一致声讨，并通过议案拥护蒋委员长驳斥近卫之宣言，严正抗战壁垒，粉碎敌伪企图。参政会（反民主者所诬为“反革命势力”的在野各抗日党派所共同参加的）始终坚持了团结抗战的国策，高擎着团结抗战的光辉旗帜，这一点无疑地是反映着全国爱国同胞的一致要求，真正公意，这种反映在抗战期间是有着绝对的必要，是谁也不能否认的。

第四次大会（民国二十八年九月）及第五次大会（民国二十九年四月）发动并坚持了空前的宪政运动，反映了全国人民对于实现真正民主的要求，那是较近的事情，大家都还觉得历历如在目前，现为限于篇幅，不再赘述（其详情参看《拙著抗战以来》一书）。此外如解决抗战期间的种种困难问题——尤著的是兵役问题和物价问题——及积极建议，参政会同人都费了很多的时间和精神，拟有各种切合事实的具体方案。由各地方来的参政员对于各地方人民所受政治不良的苦痛，尤有痛切的陈述。关于检讨责任，议场上各参政员对负责长官纷纷提出严厉的“询问”，便是显明的例子。

但是第一届参政会虽然多少尚能反映民意，虽曾对抗战期间的各种困难问题有积极的建议，虽曾对负责长官检讨责任，但是由于为职权所限，反映民意而无法监督实现民意，提出建议而无法保证必能切实执行，检讨责任而无法惩罚罢免，一切便都落空！

三　民主有效

第一届国民参政会由于组织与职权都远够不上真正民主政治下的民意机关（第二届国民参政会的职权在

实际上并没有扩充……以下被检十三字），在中国政治的改革及推进上没有什么实际的效力，这是“来宾”共同的感觉。同为参政员一分子的罗隆基先生曾提出这样的疑问：“参政会共举行了五次会议，统共有四百多个建议案，这些建议案有多少在实际上已切实执行？”但是在参政会中却也有一二事——虽则不是有关整个政治改革的大事——证明倘若我们真能实现民主，民主是有效的。试举一个例子。在五次大会中有二个提案关于一件奇事，在黄参政员炎培的提案中有这一段：“行都重地设置乩坛，高级官吏争趋膜拜，民间诧为异闻……！乃闻以公帑充乩坛经费，人员之进退，决于乩坛，……”傅参政员斯年的提案中有这一段：“……近日行都所行者即其一贯之办法，以老祖为祖师，日日向之叩头请训……每日聚官僚商人拜于其坛，并各自拜于其家，而此老祖能诗能画能写外国字母（据所见者皆不通），近日更有某署长领现在重庆之某外国大使来看，乩中送彼一画，腾为此间外交团之大笑柄……”这件故事就是关于前盐务署长朱某和他所勾结的一群白昼见鬼的行为，他部下官员升调及加俸等等，都须叩头“老祖”

取决，于是他的部下也都纷纷“拜于其坛”，“并每月拜于其家”，公务成绩如何，在所不问。此事被参政会揭露后，为蒋委员长所知，赫然震怒，亲下手谕撤职查办。朱某在“官官相护”的凭借下，大大活动一番，有好些官员居然替他说情，但蒋委员长坚决执行，终于撤职查办。蒋委员长对于此事的贤明处置固可敬，但是有一点却值得强调提出，即此事之得以彻底执行，并非出于国民参政会的职权，而是出于蒋委员长的一怒。这一类的怒固然值得我们人民的欢迎，但是在民主政治实现之后，民意机关有其应有的监督政府实现民意的职权，国事上了轨道，民权得到保障，便不必烦劳领袖常常发怒了！所以我们深信民主有效！

中山先生的伟大精神

在我国抗战四年多的今日来纪念国父中山先生的诞辰，实有其特殊的意义。中山先生一生的艰苦奋斗，其目的在求中国之自由平等；中国四五年来的坚持抗战国策，抵抗日本帝国主义者的残酷的侵略，也就是本着这个目的进行的。由于全国爱国同胞的团结奋斗，造成这四年来抗战的光辉的成绩，使日本帝国主义者灭亡中国，奴役中国人的迷梦，无从实现，这是可以告慰中山先生在天之灵的。但是现在最后胜利之期虽已较前接近，而要发动有力的整个反攻，达到完全驱逐敌人于我国国土之外的目的，却还有待于加紧的努力。这是我们在今日对中山先生不能不感到惭愧而应该深自鞭策，愈加奋勉的。所以我们在纪念中山先生诞辰的这一天，不仅是举行纪念的仪式而已，尤其重要的是要默念中山先生所遗留给我们的伟大的精神，由此加强我们继续向前努力奋斗的力量。关于这方面，我想举出几点以供全国爱国同胞的参考。

第一是中山先生一生不断求进步的精神。中山先生在奔走革命时代，虽在流离颠沛之中，穷困饥饿之际，亦不废其读书学习，充实自己。记得吴稚晖先生曾经说过，当中山先生流亡到英国的时候，有某君见他穷困已极，借给他几镑，备他勉强生活，不料第二日去看他，却见他买了不少新书！后来他在广东任大元帅的时候，有时往前方督战，虽军事旁骛日无宁晷，仍在万忙中看书，从不间断。据说欧美每有关于社会主义的新书出版，到他手里的总是最早。常人年龄越大，思想亦往往随着顽固起来，中山先生一生的特色是年龄越大，进步亦越大，这就是由于他的不断求进步的精神的结晶。因此他的政治思想也是在进步的途程上发展着。

在同盟会的盟书中，他仅提出了“驱除鞑虏”，“恢复中华”，“创立民国”，“平均地权”四大纲领，当时还未提起“节制资本”的话，但是后来由于他在欧美的继续视察研究，鉴于资本主义的流弊，及俄国革命的影响，他于平均地权之外，加以节制资本，成为民生主义的骨干。俄国十月革命的胜利，在初期受到反对者的种种诬蔑（其实直至现在还不免），而中山先生早就大胆宣称："有了俄国革命，世界人类便生出一个大希望。"在他晚年，甚至强调中国革命要师法俄国。他的三大政策也是在晚年决定的。我们追溯中山先生的一生，他个人以及他的政治思想及主张，都是在进步的途程上发展着。这种努力求进步的精神，实在值得我们的发扬光大。尤其在今日，中国争取抗战的最后胜利，要靠中国的更大的进步，这种努力求进步的精神，更是当前的最迫切的需要。

第二点是重视民众的力量和民众的福利。中山先生在遗嘱中即指出"唤起民众，共同奋斗"的重要，这是现在每遇开会时经过千万人背诵而容易忘其真义所在的。中山先生曾对《临时约法》"没有规定具体的民权"表示不满，他说："在南京订出来的《民国约法》里头，只有'中华民国主权属于国民全体'那一条，是兄弟所主张的，其余都不是兄弟的意思。"（见《五权宪法》讲演）他这样强调国家的主权属于国民全体，这样以国民为本位的国家观，是以现在的法西斯以国民与国民对立起来，要国民无条件为法西斯主义的国家而牺牲，在根本上有着很重要的差异。民国是为人民而存在的，只有法西斯的国家观才把国家和人民强为划分起来。中山先生主张“创立民国”，主张“主权在国民全体”，是我们中国最宝贵的遗产，我们必须加以重视，（被检二十七字）我们追念国父遗教所当永远服膺的。

第三是民主政治的实现。我们在辛亥革命推翻满清之后，创立了民国，这是我国的光荣，但是尽有民国之名而无民国之实，还有待于我们进一步的努力，使民主政治在实际上实现起来，才能完成中山先生的遗志。中山先生虽是手创民国的国父，但是他对于有名无实的民国，也曾表示过很大的不满意，所以他说：“现在的中华民国，还是官治武人治，不是民治。”

自抗战爆发以来，中国在各方面都有着相当的进步，但是政治的改革进步，远赶不上抗战的需要，已成为公认的事实，领导抗战的蒋委员长因此也曾经慨然指出：“中国要贯彻其绝对必要之作战目的，更须动员全民，加强长期抗战之一切设施……敌阀正百计进攻，我正不容丝毫自满，一切力量皆须发扬，一切缺憾皆须填补…… 提高民权，加强国本，应为最要之务。”（蒋委员长在第一届国民参政会第四次大会闭幕词中语）可见实现民主政治不但是实行国父遗教，而且也是抗战时期“最要之务”。

中山先生曾说“我们三民主义的意思就是民有，民治，民享”；又说“必有民治，然后才能够真是民有，真是民享”。其重视民主政治实可不言而喻，中国必须实践“非民主不可”的国父遗教，更是不成问题的，但是最使我们感觉痛心的是有些自命是中山先生的信徒而在实际上却在大放其反民主的种种谬论，以阻碍民主的实现。我们纪念中山先生的诞辰，必须注意发挥“必须有民治”的遗教，使中国的政治上轨道，由此兴利除弊，由此获得清明的政治，加速抗战胜利，保证建国成功。

民意机关的组织与职权

首先我们要郑重指出的民意机关的建立，只是实现民主政治的一端——尽管是很重要的一端——而不是说除了建立民意机关之外，便没有其他关于民主的重要的事情。例如某些反民主者继续不断地放出反民主的种种烟幕，（被检五字）竟把中山先生的民主遗教完全抛诸脑后，认为民主就是“寿衣店卖给死人穿的冥衣”！他们一听到民主这个名词，便已怒火冲天，切齿痛恨，不想到中山先生遗教中的民主，不想到蒋委员长在国民参政会中屡次宣称中国必须将实行的民主，却集中精神于“汉奸殷同又在北平组织的‘民主政府’”！（见十一月十日《国民日报》）讲民主权利罢，他们看不见中山先生在民国十二年一月一日《国民党宣言》中所说的“确定人民有集会、结社、言论、出版、居住、信仰之绝对自由权”，看不见《国民党政纲》的“对内政策”中所说的“确定人民集会、结社、言论、出版、居住、信仰之完全自由权”，看不见《中华民国训政时期约法》及《抗战建国纲领》中所规定的人民的民主权利，他们心目中所有的只是汪逆精卫的《中华日报》，敌人办的什么“大民会”“新民会”，才是言论、出版、集会、结社自由的模范！（见十一月十五日《国民日报》）现在真正主张民主的人，谁不是把民主和抗战国策联在一起，认为有不可分离的关系？即就最近在陪都成立的中国民主政团同盟的纲领说罢，第一条开宗明义即大书特书：“贯彻抗日主张，恢复领土主权之完整，反对中途妥协。”为什么反民主者一定要念念不忘于汪逆精卫，汉奸殷同，好像在中山先生遗教中，在蒋委员长的指示中，在抗战阵营中，都没有民主可言，一说到民主，就只有汪逆精卫，汉奸殷同，才是“民主”的唯一模范呢？要真欲实现民主，这种毒菌，非根除不可，而根除这种毒菌，却是当前文化上一种极重要的工作。这并不是可以等到民意机关建立之后才着手的。

其次例如人权的切实保障，人民民主权利的切实保障，在“训政约法”，在《抗战建国纲领》，在历届国民参政会的决议案中，在政府的公开宣言文件通令中，都有其根据，我们不能以仅仅见于白纸黑字，仅仅留在纸上为满足，必须督促其在事实上切实执行，必须力争其在事实上切实执行，必须严厉检讨尚未切实执行的责任，这也是当前舆论界一种极重要的工作，也并不是等到民意机关建立之后，才可以着手进行的。

但是在另一方面，民意机关的建立，究竟是实现民主政治的很重要的一端，尤其是现在有人把仅备咨询，可睬不睬，仅有顾问性而毫无实际职权的国民参政会，作为民意机关，作为“中国老早已经实行民主”的铁证，这个问题实在值得我们的检讨和研究。

一　反映民意的组织

关于民意机关的研究，最主要的课题是组织与职权。

谈到民意机关的组织，便牵涉到选举问题。就各国政治的发展史说，除了君主专制，官僚专制之外，概称为民主，国事的管理，总不外乎二种方式。一种是像古希腊城市国家的全体公民直接参加民意机关，不必通过他们的代表；还有一种便是近代民主的国家，无论是英美式的，或是苏联式的，都是通过人民所选举的代表，治理国事。前者是只能适用于公民人数很少的国家，而无法适用于广土众民的国家。因此，民意机关必须通过人民所选举的代表来组织，已成为现代民主政治的一般性，不管任何典型的制度，都不能例外。

现代民主政治既不能不通过人民代表，而人民代表的产生既不能不由于选举，所以我们所须面对的实际问题，不是要不要选举的问题，而是如何使选举真能反映民意而不是徒有形式的问题，而是如何使选举流弊不致发生，或至少减到最低限度的问题。在各国民治发展史中，选举也是由人民争取到的进步的产物，最初也出于国王的指派，例如英国千年前的盎格鲁 - 撒克逊时代的“贤人议会”，包括僧正、贵族、近臣及地方官吏，便是由国王指派的。但是到了亨利第三及爱德华第一的时期，便发展而成为民选的国会。即就选举制度本身说，它也是向前发展的产物。在最初限制极严，然后渐渐地才平民化普遍化，例如英国的女子到一九二八年才享到选举权，但年龄还限制在三十岁以上，其他国家的女子还有享不到这种权利的。只有苏联宪法规定以十八岁以上的公民资格为唯一条件，其余如性别、经济、居住、新旧地位等等的限制，都一扫而光。

在各国实行选举制度的发展过程中，贿选买卖等等弊端，不是没有过的，但这种弊端都随着政治的进步而渐少，像在苏联的选举，便没有听到这种的恶习。所以我们不能认为这种弊端是选举制度内在的本质，而无法足以防止的。所以我们如果因选举可能有弊端而不思防弊之方，只怀疑于选举制度本身的存在，那是因噎废食，不足为训的。人民代表如果不由选举，那只有由统治者指派，这是根本违背了民主的原则。三民主义的中华民国，根据中山先生的遗教，中国应该“实行普通选举制”（《国民党政纲》“对内政策”第四条），《五五宪草》关于国民大会代表的选举，更明白规定“以普通、平等、直接、无记名投票之方法行之”。

但是实行选举，最主要的条件是要能解除种种人为的对于人民的束缚，务使人民真有表现他们的意志的机会，否则表面上虽实行选举，实际上还是一党或一派包办，那在事实上仍然是不可能产生真正的民意机关。（在各国民主政治发展史中，这种包办造成的“御用”的民意机关不是没有过，但是民主政治运动仍要向前发展，非达到真正的民意机关得以建立不止。）中山先生也有鉴于此，所以当他北上号召国民会议时，主张其代表“须由各团体之团员直接选举”，同时强调“于会议以前，所有各省政治犯，完全赦免，并保障各地方之团体及人民有选举之自由，有提出议案及宣传讨论之自由”（均见中山先生《北上宣言》）。

记得在第一届国民参政会公布之后，“陪客”之一的范予遂先生曾在报上发表文章，公开说，倘若不由指派而由竞争选举，参政会中有些在野党派的参政员恐怕就轮不着（大意如此），这种情形只在一党包办选举的情况下才可成为事实，倘若能实行上述的中山先生的主张，予人民以真正表现自己意志的机会，便不会这样。我们所主张的选举，当然是指真能反映民意的选举，不是指一党一派包办的选举。

中山先生北上时所主张的国民会议，只是过渡的性质，而不是《抗战建国大纲》中的“国民大会”，但是他仍主张须由九项团体选举代表（包括各政党），且强调“须由各团体之团员直接选举”。

二　实现民意的职权

民意机关的组织成分重要，民意机关的实际职权更为重要。如果只有民意机关的形式，没有民意机关应有的实际的职权，那就是组织的成分确能真正反映民意，也无法监督民意的必能实现，也无法保证建议的必须实行，也无法制裁失职的官吏。

根据中山先生的遗教，民意机关应该要能充分运用四权。就中央的民意机关说：“国民大会对于政府官吏，有选举权，有罢免权，有创制权，有复决权。”（见《抗战建国大纲》第四条）中山先生在《民权主义》第六讲中，对于这四权曾有扼要的说明，他说：“除了选举权之外，第二个就是罢免权。人民有了这个权便有拉回来的力。这两个权都是管理官吏的。人民有了这两个权，对于政府之中的一切官吏，一面可以放出去，又一面可以调回来，来去都可以从人民的自由。……国家除了官吏之外，还有什么重要东西呢？其次的就是法律。所谓有了治人，还要有治法。人民有什么权，才可以管理法律呢？如果大家看到了一种法律，以为是很有利于人民的，便要有一种权，自己决定出来，交到政府去执行……叫做创制权。……若是大家看到了从前的旧法律，以为是很不利于人民的，便有一种权，自己去修改，修改好了之后，便要政府执行修改新法律，废止从前的旧法律……叫做复决权。"《五五宪草》在第三十二条中曾把这四权列入，这是对的，但根据中山先生的遗教，国民大会（即民意机关）是政权机关，凡属政权性质及有关政权性质的职权，都应属于国民大会，所以《五五宪草》除列举四权外，还列有"宪法赋予之其他职权"。但却不够具体，其实像宣战、媾和、大赦、戒严、缔结条约，以及预算和一切财政案，都是有关政权性质的东西，都应属于民意机关。

民意机关必须具有上述各种的实际的职权，才能达到中山先生所理想的"人民真正有直接管理政府之权，要政府的动作随时受人民的指挥"（见《民权主义》第六讲）。

即令是属于过渡性的民意机关，欲在政治上发生实际的效力，亦须具有相当的实际的职权，否则有名无实，等于虚设。二三年来国民参政会的实际教训，已经够明显了。关于这一点，我同意陈此生先生的主张，他指出：“依照《抗战建国大纲》，最后是以‘民选政府’替换国民政府的，我们现在亦不必存此奢望，要求‘民选政府’立刻实现。但我们希望现在的各级政府立刻成为对民意机关负责的政府。即是说，有关国家大计及人民权利义务的事项……须经民意机关通过；各级民意机关的决议案，各级政府必须切实执行；违法失职的官吏经民意机关通过撤换者，政府必须照办。”（见最近出版的“救国丛书”第一种《今日之民意机关与民权主义》一文）不过我有一点补充：这样的职权，当然是属于在组织上确能相当反映民意的民意机关，尽管是属于过渡性质的。例如现在的国民参政会，“陪客”多于“来宾”，如果不在组织上有所改进，即相当提高职权，还是不可能在政治上发生什么实际的效力。

三　精神与实效

最后还有二点值得指出的是：第一，我们重视民意机关的组织与职权，绝对不是仅仅顾到形式而忽视其精神或实际。如果仅有选举的形式，在实际上仍是一党一派包办，那无论是由普选形式产生的国民大会，或是由各团体推选代表形式产生的过渡性的机构，都不能成为真正的民意机关。关于职权方面，也是必须注意实际，如果仅仅加上几个空虚的名词（例如什么“调查权”），也是无补于事的。

第二，在组织上真能反映民意，在职权上真能实现民意的民意机关，倘若能够建立起来，不但能为民主政治奠定巩固的基础，而且对于现在的政治中心，在澄清政治，巩固团结，增加效率，解决困难，加强抗战各方面，都有着很大的帮助。所以民主政治的实现，绝对不是推翻现在的政治中心，而是改善并充实现在的政治中心，而是要更团结全国各方面的力量，督促并协助现在的政治中心。

《训政约法》与“抗建纲领”中的民主权利

民主权利能否得到切实的保障，是民主政治是否已经实现的证据；民主权利所能得到的切实保障的程度，是民主政治得以实现的程度之最正确的指针。所以主张民主政治者，最重视民主权利。中国国民革命伟大导师中山先生是主张民主政治最力的人，他对于民主权利也极为重视，他曾经对于民国的约法（系指民国初年的《临时约法》，不是指《训政约法》），没有具体规定民权，表示很大的不满，他说：“我们民国的约法没有规定具体的民权。在南京订出来的民国约法里头，只有‘中华民国主权属于国民全体’那一条，是兄弟所主张的，其余都不是兄弟的意思，兄弟不负那个责任。”（《五权宪法》讲演）他在民国十二年一月一日《国民党宣言》中曾郑重指出:“确定人民集会、结社、言论、出版、居住、信仰之完全自由权。”又在《国民党政纲》的“对内政策”中郑重指出:“确定人民集会、结社、言论、出版、居住、信仰之完全自由权。”这都是手创民国的中山先生所留给我们有关民主权利的宝贵遗教。

但是有些人一听到民主权利中的言论出版自由便只会想到汪逆精卫的《中华日报》!一听到民主权利中的集会结社自由,便只会想到敌人办的什么“大民会”“新民会”乃至“汉奸江亢虎的一人党”!他们骂真正主张民主政治者为“遮蔽不了其汉奸的正体”;他们自己一脑子装满着汪逆汉奸的伪民主意识,好像只有汪逆汉奸的伪民主,才是他们所奉为唯一模范的“民主”,企图借此来破坏真正的民主权利,这才是“遮蔽不了其汉奸的正体”!

但是我们所要研究的民主权利,不是属于这些人所心折的汪逆汉奸的伪民主的范畴,而是根据中山先生遗教的民主权利;就目前说,指的是《中华民国训政时期约法》及《抗战建国纲领》中所规定的民主权利,就将来说,指的是由国民公意决定的更完善的宪法中所规定的民主权利，这是应该明白指出的第一点。

未来的更完善的宪法，此时尚未产生，我们目前所仅有的根据只是《训政约法》及“抗建纲领”，但这只是就实际的现状说，而不是表示已经满意于《训政约法》及“抗建纲领”。中国应该在继续进步的途程上进展着，中国的政治也应该在继续进步的大道上向前迈进，《训政约法》及“抗建纲领”的内容都够不上宪政，我们当然不能故步自封，认为已经满足，否则第一届国民参政会第四次大会便用不着提出要求实施宪政的议案，而蒋委员长也不必在参政会中公开宣言：“训政工作不仅在训政时要积极进行，而宪政也不一定要训政完全结束之日才开始，这是从总理遗教的精神中间大家都能体会得出来的。”（这是针对某些人硬说必须训政下去，此时还不配实施宪政的。准党报上主张还须训二十年，党报上甚至主张实施宪政要等地方自治五十年成功之后，请他们勿忘蒋委员长这几句话。）这是应该明白指出的第二点。

但是在另一方面，在更完善的宪法尚未产生以前，我们对于目前仅有的根据——《训政约法》与“抗建纲领”——必须努力求其兑现，必须求其切实执行。中山先生对于民国初年的《临时约法》表示不满，已如上述，但他后来奋起护法，却这样公告于全国：“余（中山先生自称）为民国前途计，一方面甚望有更进步适宜之宪法，以代《临时约法》，一方面则务须拥护《临时约法》之尊严，俾国本不因以动摇。”我们现在要求切实保障《训政约法》与“抗建纲领”中所规定的民主权利，也是本着中山先生的这种遗教的精神。

一　民主权利的内容

这里所要研究的民主权利的内容，就是指《训政约法》与“抗建纲领”中所规定的。

根据《训政约法》所规定的民主权利，有几项值得我们的特别注意。首先是人民的身体自由在法律上须有切实的保障，非依法律不得逮捕囚禁乃至惩罚处死。法西斯独裁国家所惯行的秘密拘捕（另一好听的名称叫做“失踪”），不经公开审问、不许本人依法公开辩护即秘密处死或惩罚的行为，都在严禁之列。《训政约法》关于这方面有几条明文规定，尤其重要的是第八条："人民非依法律不得逮捕、拘禁、审问、处罚。"同条并有下述的说明："人民因犯罪嫌疑被逮捕、拘禁者，其执行逮捕或拘禁之机关，至迟应于二十四小时内送审判机关审问，本人或他人并得依法请求于二十四小时内提审。"（法官须有独立的地位与精神，当然也很关重要，此处姑不详论。）这种关于人民身体自由的合法保障，在民主政治的实现中占着很重要的位置，因为这是最基本的民主权利。曾经参加《五五宪草》起草的立法委员吴经熊、黄公觉二先生在他们所著的《中国制宪史》一书中，也曾经论及这一点，并引证伍朝枢先生致孙哲生先生论北洋军阀蹂躏人民一信中语，至今看来，还是充满着沉痛的意义："军阀专横，官吏恣肆，对于人民身体自由任意蹂躏，往往无故加以拘禁。拘时固不经法定手续，拘后则审讯无期，又不开释，致令久禁囹圄，呼吁无门。即有亲友营救，除请托及贿赂外，更无途径可寻。其结果有不宣布理由而遵径释放者，甚至擅处私刑者，似此黑暗情状，计惟有吾国历史所谓乱世及欧洲中古时代始有之。"这种"黑暗情状"便是民主政治的大敌，便是摧残民主权利的魔鬼！欧洲人民百年来所以历尽艰辛争取民主运动，就是要替自己拔出这种惨苦的深渊。我国《训政约法》中所以再三强调“非依法不得”如何如何者，也是有鉴于此，但是仅仅在字面上强调还不够，最重要者是在能够切实执行，尤其是要根本扫除法西斯的万恶作风（参看九月十二日本报所载拙作《法西斯作风的罪恶》一文）。

除上述的人民身体自由须得到合法的切实保障之外，其他最基本的民主权利便是众所周知的言论、出版、集会、结社自由。各国民主政治的斗争史，没有不为着争取这些自由的实现而斗争的，所以世界上许多民主国家，都把这些自由规定在宪法里。我国的《训政约法》，对于这些自由也有规定，例如第十四条就说：“人民有集会结社之自由，非依法律不得停止或限制之。”第十五条就说：“人民有发表言论及刊行著作之自由，非依法律不得停止或限制之。”

“抗建纲领”的内容虽比较简单，但在第二十六条，亦有如下的规定：“在抗建期间，于不违反三民主义最高原则，及法令范围内，对于言论出版集会结社，当予以合法之充分保障。”

二 民主权利的效用

反民主者除把汪逆汉奸的《中华日报》奉为言论出版自由的模范，把敌人办的“大民会”“新民会”奉为集会结社自由的典型外，还有一种“理论”来糟蹋民主权利，那就是把民主权利的争取硬说是争取个人的自由，不顾国家民族的利益。倘若这种“理论”尚有“半文价值”，那末，中山先生在遗教中那样重视民主权利（见上文），《训政约法》与“抗建纲领”中对民主权利都有规定，难道都是在奉劝全国同胞只须争取个人的自由而不顾国家民族的利益吗？我们要明白这是别有用心的歪曲，（别有用心所在，万变不离其宗，在反民主！）我们要知道民主权利必须得到切实的保障，不但不只是争取个人的自由，不但绝对不是不顾国家民族的利益，而且正是要顾到国家民族的利益，正是要增加国家民族的利益。关于这方面，我们可以很扼要地指出三点：

第一，民主权利如言论、出版、集会、结社等自由，是人民积极参加国事改进政治的重要工具。蒋委员长曾在国民参政会中说过这样几句重要的话："一国人民如果不能关切他们自己的幸福，管理他们自己共同的事务，就是说，如果人民不能积极参加政治的话，他们就不能造成强固的国家，所以世界上最有力最巩固的政治，一定是建筑在民意之上，一定以人民之利害为利害，以人民的视听为视听。"但是真要人民"积极参加政治"，真要使政治"建筑在民意之上"，真要"以人民的视听为视听"，决不是一套空话所能办到的，必须使人民通过具体的工具来"积极参加"，来表现"民意"，来发挥"视听"。这就必须重视人民的言论出版自由——通过议会、讲坛、报章、杂志等等，反映他们的意见和言论。这就必须重视人民的集会结社自由——人民可以自由召集各种会议，自由组织各种团体。例如最近在陪都成立的中国民主政团同盟，旨在"贯彻抗日主张"，"实践民主精神"，"加强国内团结"，（被检二十一字）实为"真正民主政治之国家"中所看不到的！

第二，民主权利的切实保障是抗战期间动员民众的基本条件。国民党临全大会的宣言里曾说："抗战之胜负，不仅取决于兵力，尤取决于民力，民力之发展与民权之增进，相为因果。”民主权利如得不到切实的保障，“民权之增进”从何说起？与此“相为因果”的“民力之发展”又从何说起？“抗建纲领”特把保障民主权利一条列入“民众运动”一项，足见该纲领的原作者（按该纲领最初系由国民党提出，经国民参政会通过的）也有鉴于民主权利的保障是和“民力之发展”，也就是和“抗战之胜负”，有着不可分的密切关系，现在所迫切需要者是切实兑现而已。

第三，民主权利的切实保障，能增进政府与人民间的健全关系，能增加人民对政府的信仰，因为能保障政府对人民的领导。反民主者动辄诬蔑主张民主者是“与国民党和国民政府对抗”，是“反革命势力压倒革命势力的步骤”（见十一月二十一日《国民日报》），企图用诬陷的卑劣手段来阻止真正民主政治的实现。其实民主权利的保障既是促进“民力之发展”，“决定”“抗战之胜负”，正足以加强领导抗战建国的国民政府的力量，（由这样加强的力量当然是要为国为民而用，而不是为一党一派的私利而用，这是反民主者的症结所在！）正为领导抗战建国的国民党和国民政府欢迎之不暇，为什么会“与国民党和国民政府对抗”呢？为什么是“反革命势力压倒革命势力的步骤”呢？老实说，“对抗”是有的，但绝对不是与领导抗战建国的国民党与国民政府“对抗”，只是与少数反民主的顽固分子“对抗”而已！为着国家民族的光明前途，为着四万万五千万同胞的福利，为着加强领导抗战建国的国民党和国民政府的力量，这种对于少数反民主的顽固分子的“对抗”，是绝对必要的！

三　当前的迫切问题

写在白纸上黑字的什么约法和纲领，它的本身不会发生什么实效，只有切实执行才能发生实效。所以当前的迫切问题，一方面固须努力争取宪政的提早实施，一方面尤须努力争取《训政约法》与“抗建纲领”中所规定的民主权利能够兑现。这都不是仅仅表示抽象的希望所能办到，必须有具体的办法与步骤。例如就筹备宪政而说，由一党包而不办，筹备二年一无所成，将无限期延搁，必须由抗日各党派共同参加，才有实现的希望。就切实保障人民的民主权利而说，仅对官吏们请求或哀求是绝无济于事的，即在普选的国民大会未成以前，亦须有一个由抗日各党派及各界推选代表参加，具有民意机关重要职权的过渡性的机构，不但能反映民意，而且有实际职权实现民意（参看十一月十七日本报所载拙作《民意机关的组织与职权》一文）。必须这样，才能办到：（一）不许违法的官吏以“本官即国家”（脱胎于“朕即国家”）或“本官即法律”的心理，随便摧残人民的民主权利；（二）保证《训政约法》与“抗建纲领”所规定的民主权利的尊严不可侵犯；（三）经常监督政府必须切实保障人民的民主权利。

民主权利的切实保障，绝对不能以纸面上规定为已足，绝对不能以公文上有铺张为已足，必须在事实上得到切实保障，而且必须有保证并监督必能得到这样保障的民意机关。这是当前的一个迫切问题。（这个任务绝对不是现状下的国民参政会所能负担得起来的！）

邓演达先生的精神不死

我很惭愧，像在中国政治发展史上具有那样伟大的革命人格与魄力的邓演达先生，当他在世时，我竟和他无一面之缘。但是在邓先生殉国十周年纪念的这一天，他生前的朋友们叫我写一篇纪念他的文章，我却感觉到邓先生好像是我的一位老朋友，一点不觉得生疏，而觉得异常亲切。我生平除参加过救国会外，从来没有加入过任何政党，和各党派也很少往来，但自从参加国民参政会之后，却有了接触各党派的机会，因为在国民参政会中实际上包括了各党派的领袖们。我在这里面认识了章伯钧先生（第三党的国民参政员），从他那里更知道了第三党的朋友们在前后方对于抗战建国工作努力的情形；由于他们的忠诚为国，由于他们的热心于国事的改革，使我深深感觉到邓演达先生的精神不死。由于他的伟大精神的感召，所以他自己虽不幸殉国，而他的同志们却仍能团结不散，继续努力奋斗下去，由一个邓演达产生了无数的邓演达！

我一向认为中国的抗战建国的伟业绝对不可能由一党一派包办（包而不办更不消说），必须由全国各抗日党派团结合作，因此我对于各抗日党派一律重视，而由于在国民参政会中曾与各抗日党派的领袖们共同努力于政治改革运动，对于各抗日党派更深切地感到好感与敬意。对于第三党也没有例外，所以我对于手创第三党的邓演达先生，觉得好像是我的一位老朋友，一点不觉生疏，而觉得异常亲切。

此外还有一段故事，使我敬重邓演达先生。我虽未曾与邓先生有过一面之缘，但是当我在上海办《生活周刊》时期，在朋友里面就有深知邓先生的人，常和我谈起邓先生为人的可敬。他们详细告诉我，说邓先生不仅有军事天才，而且对于政治经济及革命方法都有很深刻的研究。我们知道他是保定军校出身，于研究军事学的余暇，又致力于社会科学的研究。他曾任黄浦军校教育长，深为学生所爱戴。十五年北伐时，他任总政治部主任，关于军事上作战指挥，亦曾参与决策。他曾经二次赴德研究政治经济，并往欧洲各国实地考察。我们看到所著的关于中国问题的著述，明锐深刻，便可概见他的学养。他坚持中山先生的三大政策；他主张以“平民政权”为基础的民主政治；他严格批评有些人对于三民主义的曲解。知道他的朋友们除了敬佩他的学识经验之外，尤其不断地赞叹他的伟大的革命人格与魄力。他们说他有健全的体格，坚决的意志，吃苦的精神，远大的眼光，坚贞的气节，坚强的领导力。他们说他是军事政治经济的全才。他们说他是近代中国所具条件最完备的一位领袖人才。他们告诉我关于他的种种故事——令人感到极深兴趣与极大兴奋的种种故事——证明他们判断的正确。因此，我虽未曾见过邓先生，但是近代中国的这位坚苦卓绝，为着大众福利而牺牲性命，至死不屈的伟大人物，在我的心中实留下了极深刻的印象。我深信此人如不早死，对于中国政治必能发生更大的影响。但是他终于是以身殉国了，这是最可痛的一件事！

但是人寿几何，谁能无死，邓先生为着大众福利，努力奋斗到最后的一息，在他是可告无罪于国人了。我们深信他的精神是永远留在他的后死的同志们的身上，继续为着中国的光明前途努力奋斗。邓先生的精神不死！邓先生虽死犹生！

一九四一，十一，二十五，深夜。

政治上的学习精神

虽有人公开宣言“中国老早已经实行民主”，但是依最近国民参政会的决议，“召开国民大会，制定宪法，俾宪政得以早日实现”，不得不等到“抗战终了之时”，可见中国对于民主，还有待于努力“实行”，因此“中国的民主是否会比别国有逊色”？（有人认为“有权要求一切人睁开眼睛来看”！）此时实无从“看”起，只得静待未来事实的证明。在这种情况之下，依实行民主时期的先后而论，像英美那样“老早已经”有了民选的民意机关及对民意机关负责的政府，我们似乎不得不承认它们是先进的民主国家罢。它们的实际经验，有许多地方可供我们学习，也是极合理而又极寻常的事情。但是反民主者却另有苦衷，听到有人提及英美有些民主作风值得我们的效法，也深深感到愤懑，大喊“无须效法英美”！大喊“现在某些人盛道英美，主张效法英美，我们不能同意！”他们说：“中国差不多是一切自由人的天堂！”我们现在原来是处在“一切自由人的天堂”里面，真应该千万分的满足，还要求甚么实现民主政治，真是千不该万不该！

但是我们仔细“睁开眼睛”看看最高领袖蒋委员长所参加的国民参政会主席团所提出的“促进民治办法四项”，还有待于“加紧促进地方自治”，“召开国民大会，制定宪法”；还需要“充实”“战时民意机关之组织与职权”；还需要“应请政府……今后用人，务广揽各方贤能，以力践‘天下为公’‘选贤与能’之遗训”；还需要“应请政府”“特加注意”“人民诸种自由，当予以合法之充分保障”，好像这个“天堂”里面还有不少缺憾，需要再求进步似的！倘若这个估计不错的话，政治上的学习精神，还值得我们热烈提倡一番。

一　世界政治史上的教训

政治上应有学习的精神，才有进步的希望和可能，这不仅是我们的这个“天堂”应该这样，如果稍稍注意欧美数百年来的政治进化史，便知道世界政治的进步，实靠着政治上努力学习的精神，吸收他国的优点，配合本国的需要，才能向着进步的大道上迈进。例如英国的政治哲学家洛克（John Locke.1632 － 1704）是英国一六八八年革命的理论领导者（按一六八八年革命为人权与君主的神权之争，结果人权胜利，英国巴力门决定了它的强国的地位），他主张国家的主权应永远握在人民的手里，人民并不是永远把他们的权力让给统治者，他们自己仍握着主权的最后决定权；在任何时候，如果他们所建立的政府不能忠实于他们的付托，他们当然有撤换和废除这个政府的权利。但是洛克的政治理论不仅影响英国，而且对于欧洲大陆也有很大的影响，这就是因为当时的欧洲大陆没有拒绝学习英国政治革命中的经验，和我们的“天堂”里有些人的态度不同！

法国的政治哲学家孟德斯鸩（de Montesquieu，1689 － 1755）就根据他对于英国宪法的研究而建立了立法、行政和司法三权分立的学说，在下一世纪的政治史里有着很大的势力。接着法国政治哲学家卢梭（Jean-Jacques Rousseau，1712 － 1778）也从洛克采用了主权和政府应有分别的说法，认为最高的主权仍在全体人民，政府不过是一种引伸出来的威权，要服从握有主权者的人民的意志。不过他进而主张握有主权者的人民应主动地进行社会的工作，对于政府的工作不是仅有被动和静默的态度；他主张全体人民不但在名义上是统治者，在事实上也是统治者，于是在他的学说里，民主的意味更为浓厚。法国一七八九年的大革命，“人权和公民权的宣言”的观念，实受到洛克、孟德斯鸠和卢梭的重大影响，已为政治史上公认的事实。

不但欧洲大陆向英国的政治革命学习，美国的政治革命也向英国及欧洲大陆学习。美国的宪法就是根据孟德斯鸠的分权学说，洛克的国家的职务在保障自由和财产的主张，以及卢梭的人民应有积极主权的说法。

以上只是略举世界政治史上局部的事实，已足见政治上的学习精神，实为政治进步的重要因素。

二　中山先生遗教的昭示

其实政治上的学习精神，不必远求之于欧美的政治进化史或革命史中，即一生为民主政治而努力奋斗的中山先生，其遗教中也充满着政治上的学习精神，足供我们参考。例如他在《五权宪法》讲演中曾经这样说过："三民主义就是民族主义、民权主义、民生主义，和美国总统林肯所说的民有、民治、民享，是相通的。"可见他对于林肯所倡导的关于民主的基本原则，是不拒绝采用的。他在国民党第一次代表大会的演词中说他对于革命"已经得到了办法"，这办法是怎样得到的呢？他有着这样的说明："……至于这些新方法的来源，是本总理把先进的革命国家和后进的革命国家，在革命未成功之前，已经成功之后，所得的种种革命方法，用来参考比较，细心斟酌，才定出来的。当中不完备的地方在所不免，所以还要开这个大会，请大家来研究研究。"可见他对于"先进的革命国家和后进的革命国家"，并不拒绝采用文化的优点，以充实中国的革命方法。

他晚年对于俄国的革命党的组织及其奋斗的精神，尤深敬佩，认为大有效法的价值。他说："大家都知道俄国革命在中国之后，而成功却在中国之前，其奇功伟绩，真是世界革命史上前所未有，其所以能至此的缘故，实全由其首领列宁先生个人之奋斗及条理与组织之完善。故其为人，由革命观察点看起来，是一个革命之大成功者，是一个革命中之圣人，是一个革命中最好的模范。……我觉得于中国的革命党有很大的教训。什么教训呢？就是大家应把党基巩固起来，成为一有组织的有力量的机关。”他又说，“从前在日本，虽想改组（按指改组国民党），未能成功，就是因为没有办法。现在有俄国的方法，以为模范（注意“模范”二字），虽不能完全仿效其办法也应仿效其精神，才能学得其成功。”我们从这里很显然地可以看到中山先生的政治上的学习精神；他看到“俄国的方法”足为“模范”，便不拒绝“仿效”。（以上引语均见国民党第一次代大会演词）

诚然，中山先生不主张“完全仿效”，所谓“完全仿效”，就是呆板地完全搬到中国来。这当然是不可以而且也是不可能的。所谓“仿效”，当然是指吸取他国经验中可以适用于中国需要的某些优点。谁都不会主张把外国的制度完完全全照样搬到中国来。即如中山先生在上文所说的应该“仿效”俄国革命党的，也只是指它的组织和奋斗的精神，而中国国民革命所要切实执行的却是中国的三民主义，而不是俄国的共产主义。又例如俄国的社会革命是采无产阶级专政制度，所以行的是一党政治；中国的国民革命——抗战建国的伟业，却应该由全国各阶层共同合作努力，而不是由任何一个阶级所能包办，所以在事实上不应一党专政，而应由全国抗日各党派在民主方式下共同努力。但是这种种基本上的差异，并不妨碍中山先生所主张的我们可以“仿效”俄国的某些适用于中国的优点。

中山先生虽然说过“我们从前以为学到了像欧美，便算止境，那便是不对”，他虽然表示过欧美的政治也有它的缺点，但这不是说我们对于欧美的民主政治中可以适用于中国的某些优点也一概抹煞，拒绝“仿效”，所以他说：“我们现在改良政治，便不可学欧美的旧东西，要把欧美的政治情形，考察清楚，看他们政治进步究竟是到了甚么程度，我们要学他们的最新发明，才可以驾乎各国之上。”（见《民权主义》第六讲）既说“要学他们（按指欧美）的最新发明”（按此处指欧美政治），可见依中山先生遗教的昭示，我们指出英美民主国家的某些优点，为中国所应该效法，不但是中国所需要，而且是完全合理的。我们“天堂”里有些“酒肉和尚”听了竟大发雷霆，疾呼“不能同意”，这是与中山先生遗教的精神绝对冲突。我们为着中国政治的进步，为着中国政治的光明前途，只得郑重声明：“不能同意”！

三　但却不要学错了

就世界政治进化史或革命史的教训说，就中山先生所留给我们的宝贵遗教说，我们对于政治上的学习精神，都应该有正确的认识，都应该努力实践。已如上述，但是有一点却须特别注意的，那就是这里所说的学习，是指学习“先进的革命国家和后进的革命国家”在民主政治方面值得我们仿效的优点，却不要学错了，学到法西斯独裁国家的种种万恶的作风！同是学习，对于前者，学习的精神愈充分，国家民族与人民大众愈受其福；对于后者，学习的精神愈充分，国家民族与人民大众反而要遭受到莫大的灾殃：这真是所谓差以毫厘，谬以千里，心所谓危，不敢不告，邦人君子，其共鉴之！

例如我们有极端可以宝贵的三民主义，有极端可以宝贵的中华民国，我们的任务就是要切实执行三民主义，来充实这个“民国”，大可不必醉心于什么“王道帝国”！蒋委员长也曾经郑重指出：“我们要建设三民主义的新中国，这是我们建国运动的总目标。”我们觉得这是完全正确的，但同时我们却“睁开眼睛”看到党报上大提倡其“王道帝国”！（见十一月十日《国民日报》）把全国爱国同胞所珍视的中华民国的“民”字，轻轻换上一个“帝”字，再加上日本“帝国”主义者常在我们的沦陷区里提倡的“王道”形容词，已经够令人寒心了，而且又说得那样严重：“我们要建立的帝国，一定是一个王道帝国。……中华民族如果不能建立帝国，就必趋于微弱，耻辱，与灭亡之途！”呜呼！见“民主”而惊心，闻“帝国”而狂喜，是诚何心哉！但是无论说得怎样严重吓人，凡属中华民国的国民，却不免要异口同声地叹道：学错了！学错了！

又例如我们应该学习民主国家对于人民的言论、出版、集会、结社自由的合法保障，而千万不可学习法西斯独裁国家摧残人民民主权利的罪恶。像在法西斯小伙伴的“帝国”里有所谓“思想犯”，连“耳语”都在严禁之列，那是万万学习不得的！

我们要热烈提倡政治上的学习精神，但却不要学错了！

太平洋问题与中国

当前全世界最注意的一个严重问题

一　最近形势的发展

自十一月十七日来栖在华盛顿开始美日谈判之后，太平洋问题重新引起了世界的严重的注意。日本二十二日的对美提案，据我国外交界传出来的消息，包括下列五点：（一）日本同意重新规定在华经济的势力范围；（二）日本将不再南进，作军事的扩张，但对于日本南向的经济发展，不得予以阻止；（三）“满洲国”问题保留讨论；（四）日本愿暂时将轴心协定搁置，不履行轴心义务，唯对于脱离轴心一点，态度仍属暧昧；（五）日本愿意将在华军队，撤退至“七七”事件前情势，换言之，即恢复一九三七年七月的原状。又谓关于日本对苏联的态度，以及足以威胁荷印、马来亚与泰国的越南驻兵问题，均未经提及。这个消息当然还只是局部的，因为这只是约略说出了日本愿出的代价，而未提及日本所希望于美国的报偿。但即就上述五点而论，第一、第三及第五各点，都与中国发生直接的利害关系，是要中国断送东北，断送华北、华中、华南的实际的具体条件也尚在不可知之数。

这样牺牲中国的提案，固为英勇抗战了四年多的中国所不能允许，而美国也不能赞同。美国为这样迁就日本的要求，解决中日问题（假定可能的话），使日本泥腿得从中国拔出，更可肆无忌惮，增加其北进或南进的野心，这在德苏战争尚未决定最后胜负以前，美国正集中其大部分力量于大西洋的时候，对美国也是不利的。于是美国似有意暂时搁开中日问题不谈，而转移重心于所谓三个月喘息协定的商讨。最初消息于十一月二十四日从伦敦方面传出，谓伦敦当时有一种印象，以为华盛顿的远东问题谈话，现集中于与日本成立一临时协定的讨论，这协定的有效期间，或为三个月；又谓倘美国曾建议，由日本撤退越南的驻军，及保证在这个协定期间内，绝不南进或北犯苏联，我们当不感惊讶。在另一方面，民主国家将部分解除对日经济禁运，这也是可以想象的事情。美国在与日谈判中，和英国是保持着经常的接触的，伦敦当时的这种印象是不会没有实际根据的。果然，合众社二十七日华盛顿电讯就说，国务卿赫尔于数度会谈后，已改变其妥协的口吻，而坦率重申美国的基本外交原则：（一）脱离轴心集团；（二）从中国撤退军队；（三）停止支持宁伪。说“改变其妥协的口吻”，可见其有一度有着“妥协的口吻”，指的就是未成功的三个月的“喘息协定”。

这三个月的“喘息协定”，在日本方面，原来应该不是不可能接受的。日首相东条虽在日本临时议会中提出所谓三大原则的高调，即（一）各第三国家应勿妨碍日本胜利的结束“中国事件”；（二）包围日本的国家，不仅不应以军事行动，直接威胁日本，且应取消其敌对措施，例如经济封锁，及与日本恢复正常经济关系；（三）阻止欧战蔓延至远东。但他的演词却再三强调“英美两国冻结日本资金，曾造成对日经济封锁，因而严重的影响日本帝国的生存，又建立一种日本绝不能默许的局面”，并郑重指出，经济封锁，“不仅严重阻碍‘中国事件’的解决，且亦严重影响日本帝国的生存”。而据华盛顿方面所传，日方要求的第一项就是“松弛 ABCD 集团的经济封锁”（尚有二项为美国减少援华与美国减少在政治上压迫日本的“新秩序”），可见日本在这次谈判中，它所迫切追求的目的，主要的是在松弛美国对日的经济封锁；对于中国问题，只希望美国减少援华或减少压迫（能做到更有利于日本的解决，当然为日本所希望，但亦明知其不易）。但是三个月“喘息协定”之终于搁浅，虽由于中国方面由宋子文胡适二氏出而反对，但在外交上占着优势的美国对日不肯迁就，具体条件不易说妥，也未尝不是重要的原因。上述合众社电讯，谓“国务卿赫尔于数度会谈后”，才“改变其妥协的口吻”。“数度会谈”的失败，便是具体条件不易说妥的佐证。

三个月“喘息协定”既失败，于是赫尔在十一月二十六日向日本提出的新提案中，特又提出他在一九三七年发表的“有历史性的原则上的宣言”。但截至记者执笔草此文时（十二月五日），日本对于美国十一月二十六日的对案，尚未答复，太平洋形势仍在紧张之中。

二　妥协呢？还是战争？

在这样日趋严重化的太平洋形势之下，大家心目中都悬着两个问题：一个是美（英）日间究竟妥协呢？还是战争？还有一个是对于中国的影响如何？

请先检讨第一个问题。

美日两方在欧战的现阶段下，在主观上显然都不愿彼此间发生战争。希特勒集中德国法西斯的残暴武力发动侵苏战争，原来企图于一个半月内毁灭苏联，现在打了五个多月，十月初旬以来开始了第四次的大攻势，迄今仍在梦想着克林姆宫的尖顶而无法实现梦境。最近罗斯托夫的被苏联克复，莫斯科及列宁格勒各线的继续相持，都表示着苏联渐占优势，而纳粹的暴力已较前衰弱。但是要说纳粹暴力已经解体，即将崩溃，却也太早，苏联的危险在事实上并未过去。美国为着尽可能避免太平洋战争，以免分散它在大西洋方面的力量，这样打算是可以了解的。在日本方面，向来是惯于投机，在德苏战争尚滞留在相持的阶段，它也要争取时间，观望形势。它原期待着希特勒的意外胜利，它便可以大胆进行其趁火打劫的惯技，但在希特勒尚无胜利把握而又未至全败的时候，日本在太平洋的冒险行动，却不能不出于相当慎重的态度。所以东条内阁虽为准备扩大战争的内阁，却仍派来栖赴美周旋一番，至少希望获得经济封锁的松弛，对于美国的新对案虽延搁至今未复，一面增兵越南，国内鼓噪，一面表示美日谈判仍将继续。美国方面于谈判将陷僵局之际，由罗斯福总统提出关于局部的越南日本驻兵超过维希协定的问题，请日本解释，并声明（十二月三日在招待记者席上谈话）这请求是很客气的，而没有时间的限制，虽则希望可以得到早日的答复。当日暂代"轻微伤风"的赫尔的威尔斯并从旁表示这请求不构成哀的美敦书。这似乎表示日本的越南驻兵如能减至维希协定所规定的数目，尚有商量余地。（维希协定允许日本在越南驻军六千名，后来增至二万五千名。据说越南最近至少有日军十万名。）

美国为着欧战，日本为着投机，在主观上都不愿彼此在目前就发生战事，问题是在对于实际具体问题的解决能否有比较接近的决定。就整个形势看来，太平洋问题的根本解决，要在目前由外交方式办到，是不可能的，因为日本对美国让步，固不肯根本抛弃其侵略的政策；美国对日本让步，也不肯降到牺牲中国的地步（在目前如牺牲中国，对日本无异为虎添翼，于美国亦不利），所以目前除继续以前的拖的局面之外，可能的途径不外二途：一为美日间局部的妥协，一为太平洋战争的爆发。依最近的形势看来，战争的危机固仍然存在，日本帝国主义者的狗跳墙的可能性，固仍然存在，任何人都不能用理性来肯定疯狗的动向。但是美日间局部妥协之门并未关闭，美日间局部妥协的可能性仍然存在着。

美国为着欧战而极力避免太平洋战争的提早爆发，这是可以了解的态度，上面曾经述及。但是我们所希望的是：即令美国不得不暂时努力制止日本帝国主义者在太平洋扩大战争，亦不可作不必要的让步，而当更进一步在远东与中英苏作更密切的合作，以反法西斯侵略的各国团结的力量，以反法西斯侵略阵营的加强，来共同制止日本帝国主义者在太平洋的妄动。英美对苏联的良好关系日增，对中国的援助加强，都是国际反侵略阵营中令人欣慰的象征。最近李维诺夫的赴美，绕道新加坡，而据塔布衣夫人最近从纽约致电伦敦《星期捷报》的消息，谓一般相信，驻莫斯科美大使史丹因哈特的遄返美国，在美日谈判的发展中，占重要地位。并谓据传史氏携有美苏互助计划，该计划将包括太平洋局势在内，一俟李维诺夫抵华盛顿后，即将提出讨论。如果这是事实，可见不但ABCD在远东将有更密切的合作，美苏在远东亦将有更密切的合作。只有反法西斯侵略国家的更巩固的更密切的合作，才是阻止太平洋扩大战争的最有效的途径。

三　对于中国的影响如何?

中日问题是太平洋问题的核心，而中国全国人民对于中日问题的坚决无比的立场，最近国民参政会所一致通过的《重申抗战之目的暨收复东北四省之决心》案，实反映了全国的公意，即:“一致拥护蒋委员长‘九·一八’十周年告国民书，全世界必须清楚认识东北四省是我整个领土之一部，不容分割；东北人民与我整个民族生命是一体，不容支裂；任何伪组织，必须根本取消；我领土主权与行政完整，必须彻底恢复。此目的一日不达，则我抗战一日不终止。此乃我全民一致之决心，无丝毫变更之余地者也。”

我们全国爱国同胞的这种坚决的立场，是不受国际上任何变化所影响的。但这不是说国际上的重要变化和我们不发生利害关系，为我们不必注意，尤其是太平洋问题，在利害上和中国有不可分离的密切关系，是我们必须严密注意的。

依我们在上面的分析，目前除继续以前的拖的局面之外，可能的途径不外两途，一为美日间局部的妥协，一为太平洋战争的爆发。我们主观上的希望是一事；我们对于国际客观形势的分析又是一事。现在试就这两种客观的可能途径研究其对于中国的影响，也许不无参考的价值。

就整个的世界反法西斯侵略阵营说，太平洋战争的立即爆发，势将分散美国对大西洋的力量，等于放松了对希特勒侵略的制裁；希特勒势力的继续猖獗，甚至加强，即间接有利于日本帝国主义者在远东的侵略行动。故就远处看，对于远东的整个反侵略阵营也是不利的。而且即就中国眼前说，英美正在加强援助中国，一旦太平洋战争爆发，英美为着要加强本身的需要，对中国之供给援助，势亦不得不受到影响。也许有人要想到日本因增加了敌人，力量分散，对中国进攻也许不得不放松，这是对中国有利的。但是美日战争如果发生，重在海战，中国战争则重在陆战，牵制的作用虽不是完全没有，但却不能起很大的决定作用。中国的抗战胜利，主要的还是要靠自身力量的加强。在加强对外力量的过程中，国内的团结和政治的改革还有着更多的希望。如果在加强对外力量方面无须注意，也许反致增加内部的纠纷，妨碍到抗战最后的胜利。

在另一方面，如果美国在不牺牲中国的原则下，与日本成立局部妥协，一面仍继续援华，这对于中国抗战尚无严重的影响。虽则在美日局部妥协中，美国可能松弛对日的经济封锁，即无异间接给予日本以喘息的机会，而加强其将近衰竭的力量，就这一点说，是于中国不利的；但是倘若美日间局部妥协果然实现，中国只须能加强自身的力量，实行有力的反攻，可能使日本在实际上亦难得到喘息的时期。本港英文《南华朝报》十二月一日社论也曾提及此点，说日美局部妥协可能增强日本，同时也未尝不可能增强中国（意指中国亦得在同时期增强自己力量）。这当然不是说日本力量的应该增强，而是说中国的胜利，主要还是要靠本身力量的增强。能注意到这一点，即令美国为着欧战而不得不对日本成立暂时的局部妥协，中国的抗战胜利还是不会受到影响的。

中国抗战国策的坚持，是应该不为任何国际变化所动摇的；但是要贯彻抗战国策，争取抗战胜利，最主要的还是加强团结内部，努力政治改革，克服各种困难，增强自身力量，这是我们在国际风云变幻莫测的今日所更须紧紧把握住的最基本的要点。

三联经典文库第二辑简目

《游击战教程》　明凡 / 著

《游击战术纲要》　陶剑青 / 编著

《汪精卫卖国的理论与实践》　钱俊瑞 / 著

《抗战以来》　韬奋 / 著

《陕行纪实》　楚云 / 著

《随军散记》　沙汀 / 著

《被日寇囚系半载记》　王研石 / 著

《倭营历险记》　房沧浪 / 著

《活跃的新西北》　田影 / 编著

《保卫华北的游击战》　刘清扬　陈北鸥等 / 著

《徐州突围》　《徐州突围》编委会 / 编

《沦亡的平津》　长江　小方等 / 著

《淞沪火线上》　胡兰畦等 / 著

《瞻回东战场》　长江　罗平 / 著

《东线的撤退》　胡兰畦等 / 著

《抗战中的西北》　徐盈 / 著

《鲁闽风云》　徐盈等 / 著

《西线生活》　西北战地服务团集体创作

《中国解放区见闻》　［美］福尔曼著 / 朱进译

《全面抗战论》　潘汉年 / 著

《日本的间谍》　范士白自述 / 尊闻译

《日本大陆政策的真面目》　国难资料编辑社 / 编

《民众动员论》　李公朴 / 著

《中国外交史》　钱亦石 / 编著

《太平洋军事地理》　蒋震华 / 著

《世界经济地理讲话》　思慕 / 著

《列强军力论》　［德］马克斯·威纳尔著 / 宾符　仲持　梅益等译

《近代国际关系史》　张铁生 / 著

《太平洋现势手册》　沈志远　石啸冲 / 编著

《近代世界政治史》　钱亦石 / 著

《从战争到和平——一九四五年的世界政治》　乔木 / 著

《战后日本问题》　思慕 / 著

《最近一年间的国际动态（1946.7–1947.6）》　《东北日报》社 / 编

《论政党》　翟放 / 著

《法与宪法》　韩幽桐 / 编著

《中华民国宪法刍议》　罗家衡 / 著

《民主·宪法·人权——作之民》　费孝通 / 著

《宪法论初步》　潘念之 / 著

《对反民主的抗争》　韬奋 / 著

《农村改进的理论与实际》　江恒源 / 著

《上海产业与上海职工》（上下）　朱邦兴　胡林阁　徐声／合编

《陶行知教育论文选辑》　陶行知著／方与严编

《中国通货膨胀论》　杨培新／著

《中国及其未完成的革命》　H・普拉特著／蒋天佐译

《中国的建设问题与人的训练》　卢作孚／著

《论中国特殊性及其他》　艾思奇／著

《中国经济问题讲话》　钱俊瑞　徐雪寒　王渔邨　姜君辰　骆耕漠／合著

《中国经济的道路》　许涤新／著

《中国财政之病态及其批判》　孙怀仁／著

《官僚资本论》　许涤新／著

《五四运动之史的评价》　陈端志／著

《中国通史简编》（上下）　中国历史研究会　范文澜／主编

《论文学的工农兵方向——读〈在延安文艺座谈会上的讲话〉》　雪苇／著

《中国近代史（上编　第一分册）》　武波／编著

《文学百题》　傅东华／编

《中国史学之进化》　周谷城／著

《论民族形式问题》　胡风／著

《论批评》　荃麟等／著

《中国史纲》（第一卷上下、第二卷上下）　翦伯赞／著

《近代中国思想学说史》（1–4）　侯外庐／著

《中国政治思想史》（上下）　吕振羽 / 著

《中国哲学史纲要》　向林冰 / 著

《中国政治史讲话》　钱亦石 / 著

《中国社会经济史纲》　王渔邨 / 著

《新财政学大纲》　千家驹 / 著

《太平天国革命运动论文集——金田起义百周年纪念》

华北大学历史研究室 / 编

《理性与自由——文化思想批评论文集》　胡绳 / 著

《战斗者的诗人》　黄药眠 / 著

《国语文法》　曹朴 / 著

《教育哲学》　张栗原 / 著

《妇女问题讲话》　杜君慧 / 著

《婚姻 · 子女 · 继承》　沙千里 / 著

《性教育新论》　布士克　雅各生合著 / 董秋斯译

《狱中杂感》　杜重远 / 著

《七人之狱》　沙千里 / 著

《爱迪生传》　伍况甫 / 译

《歌德自传》（上下）　歌德著 / 思慕译

《尼赫鲁自传》　［印度］尼赫鲁著 / 毕来译

《列宁传》　［苏］凯尔任采夫著 / 企程　朔望译

《罗斯福总统传》　C．Mackenzie 著 / 张尚之译

《托尔斯泰传》（1–3）　［英］阿尔麦 · 莫德著 / 徐迟译

《革命文豪高尔基》　［美］亚历山大 · 康恩著 / 韬奋编译

《鲁迅纪念特辑》　新中国文艺社 / 编

《回忆鲁迅先生》　萧红 / 著

《人民文豪鲁迅》　平心 / 著

《亡友鲁迅印象记》　许寿裳 / 著

《鲁迅思想研究》　何干之 / 著

《鲁迅研究》　夏征农 / 编

《过来的时代：鲁迅论及其他》　雪峰 / 著

《电影戏剧表演术》　洪深 / 著

《日常心理漫谈》　［美］约瑟夫 · 查斯特罗著 / 曾宝施译

《心理常识漫话》　朱智贤　杨云美 / 著

《读书的方法与经验》　王任叔 / 著

《美国黑人生活纪实》　［美］加德维尔　斯坦倍克著 / 董秋斯译

《初访美国》　费孝通 / 著

《事业与成功》　［美］马尔腾著 / 汪原放译

《萍踪寄语（初集）》　韬奋 / 著

《一生的幸福前途——〈生活周刊〉信箱选集》　生活书店 / 编选

《深刻的印象》　生活周刊社 / 编

《海外的感受》　生活书店编译所 / 编